U0023227

陽光家族 角色介紹

王子
來自TWR-03星球的「島之星」王子，好奇心旺盛，甚麼都想知。這次來到地球遊學，因緣巧合在「陽光小學」結識了一班好朋友，成為陽光家族一分子。

葉趣趣
王子的同伴兼寵物，智慧種子一顆，品種未明，據說當吸收足夠知識之後，種子會蛻變成新生命。平日滿腦子鬼主意，喜歡捉弄人，心地其實很善良。

章卜卜
姓章名卜卜，洋名Book，自小愛閱讀，終日書不離手，尤其熱愛中國文化，通曉各種語文冷知識。

寶珠公主
王子的表妹，愛打扮和認識新事物，偶爾有點公主病。

花碌碌
公主的智慧種子兼管家，個性溫和，喜歡大自然，處處維護公主。

莎因斯
洋名Science，擁有一顆科學頭腦，愛好冒險，夢想是成為像愛因斯坦一樣有趣的科學家。

曲家里
洋名Cookery，愛吃更愛煮，課餘沉迷鑽研各種料理的烹調秘技，是陽光小學有名的小廚神兼美食博主。

手工小作
洋名Handwork，最喜歡動手做各種創意手作，經常上網和其他手工創客交流心得和分享作品。

本書內容重點

科學小知識

10   11

科學小知識

12   13

3

目錄

第三章 ● 環境生態園

第四章 ● 社會新奇事

第五章 ● 世界手牽手

第一章

科學放大鏡

人造流星雨

　　大家有沒有看過流星雨呢？正常來說，流星雨只在特定日子出現，但不久將來，可能只要向科技公司下單就能隨時看得到。日本一家太空娛樂公司Astro Live Experiences（ALE）早在2019年1月，嘗試在鹿兒島內之浦航天中心，用火箭發射了一枚重68公斤的衛星，內裏載着400顆直徑1毫米、只有幾克重的人造流星顆粒，當衛星順利進入400公里高度的軌道後，人造流星顆粒便可以在40至60公里高度的大氣層內持續燃燒，形成一場美麗壯觀的流星雨表演。

　　人造流星其實是彈珠大小的金屬球，在投放到大氣層時會產生摩擦，燃燒起來，成為流星。ALE公司表示，人造流星比一般流星更亮，速度更慢，能讓觀眾好好欣賞，他們還可以選擇流星的顏色。不過利用小型衛星製造流星雨的實驗目前仍在實驗階段，想要下單流星雨的客人，還要再耐心等待一下呢。

流星不是星星

我們在夜空看到的亮光，其實是太空裏的塵埃或者石頭，因為掉進大氣層而燃燒發亮。要是流星沒有完全燒光，掉到地球，那殘餘的部分就稱為隕石。

在一年中某些時段，我們可以看到大量流星。這種現象稱為流星雨，是地球在圍繞太陽公轉時碰到彗星（細小的星體）碎片所致。流星雨的名稱是以它們出現的星座坐標命名，例如在獅子座的坐標出現，我們就叫獅子座流星雨。

「流星」叫meteor

「流星」的英文是meteor，讀作MEE-ti-a或MEE-ti-or。那麼流星雨呢？千萬別以為是meteor rain啊！英文不會這麼叫，而是會說meteor shower。當中的shower可解作「一連串」、「一陣」等，因此meteor shower便是指「一連串的流星」。單單shower一字，可解作「一陣驟雨」。留意shower並非讀如SHOW-a，而是讀作SHAU-a。此外「流星」也常俗稱shooting star。

科學放大鏡

文化教室

許願能成真？

　　對着流星許願就能實現願望？有趣的是，原來東西方都有近似的說法。中亞地區流傳，當神仙打開天上的蓋子眺望人間時，蓋子之間會發出一道光芒，那就是我們看到的流星。要是你在光芒流逝前許三次願，就能傳到神仙的耳朵，把你的願望實現。歐洲的傳說意外地相似，說天神在俯瞰地球時會迸發流星，這時許願的話可以願望成真。兩地的傳說說不定是互相影響呢。

> **?** 考考你　熊貓最大的願望是甚麼？

中文教室

彗孛飛隕

　　古時候，彗星、流星、隕石合稱「彗孛飛隕」。「彗」是彗星，因為彗的本義是掃把，所以又俗稱掃把星；「孛」（音：撥）是極光的彗星，又叫蓬星、長星；而「飛」、「隕」分別是流星、隕石。在古人看來，出現「彗孛飛隕」通常代表不祥，因為它們是災難之星。例如，古書記載，南北朝時周靜帝在登上王位那一年出現了一顆大流星，有官員因此預測不出三年必有危難，果然後來真的有人發動叛變。由於古人深信天象能占卜禍福，所以對星象做了相當詳盡的記錄，令中國擁有最早、最豐富的彗星、流星、隕石記錄。

小遊戲：逃離隕石帶

警告！大量隕石墜落地球，請盡快走出迷宮，逃往避難所。

小遊戲：智破密碼鎖

王子逃到安全屋門前，發現要輸入密碼才能進入，試試在幾組數字中找出規律，輸入最後一個數字，打開大門！

	A	B	C
1)	36	10	6
2)	8	2	2
3)	20	4	8
4)	18	5	( )

▲黑洞照片

黑洞的奧秘

　　「黑洞」這個名字，相信很多小朋友都聽過。雖然科學家相信這種天體存在，但原來一直都沒有直接觀測到它。終於，在2019年4月，由歐洲、美國、中國、日本的科學家共同發布了人類有史以來第一幀黑洞照片！照片中的黑洞並非完全黑色，原因是望遠鏡同時拍攝到圍繞黑洞附近的物質。全球科學家共動用八支射電望遠鏡，令它們成為連結起來相等於地球直徑的一支巨大望遠鏡，才拍攝到這張珍貴照片。形狀有點像甜甜圈的黑洞，看起來很神秘呢！

天文教室

既不黑也不是洞

「黑洞」這名字其實頗為誤導，因為它既不黑，也不是洞。事實上，黑洞是一個燃料已燒盡的星體，可以說是已死去的恒星。它的引力很大，大得連光綫都無法逃避它，這便是為何它被稱為「黑」洞的原因。但根據已故物理學家霍金的理論，黑洞仍是會散發出一些輻射，因此不會完全「黑」。至於「洞」就更錯了，因為它是一個星體，而非一個洞——周遭的物質是給黑洞的引力吸了過去，而非「掉」進它的內部。

❓ 考考你 霍金是哪個國家的科學家？

▲根據已故物理學家霍金的理論，黑洞會散發出一些輻射，因此不會完全「黑」。

中文教室

表示黑色的字

除了「黑」字外，尚有很多中文字表示黑色。常見的有：

「烏」，例如「烏雲」、「烏鴉」；

「墨」，例如「墨綠」即深綠色、「墨汁」是黑色的書畫顏料；

「漆」，漆（音七）是指「黑色的」，有「漆黑」一語；

「暗」，特別指不光亮的、黑夜的，因而有「黑暗」一語；

「陰」，指昏暗的，例如「陰天」；

「黝」，淺黑色，例如「黑黝黝（音柚）」可指光綫不足，也可解作烏黑發亮。

▲「墨汁」是書畫用的黑色顏料。

黑洞是black hole

英文教室

「黑洞」一詞是先有英文，後有中文翻譯，而英文原文就是black hole。黑洞是一顆恒星，英文叫star，例如太陽也是一顆star。至於環繞太陽運行的八大行星，則叫planet(s)，例如我們居住的地球便是其中一顆。以太陽為中心的太陽系，叫Solar System；至於環繞每顆行星運行的衞星則可叫作moon，這也是月亮（月球）的名字。太陽系位於銀河系（Milky Way）內，而銀河系是一個由至少一千億顆恒星組成的星系（galaxy）。

▲行星的英文叫planet，例如我們居住的地球，便是其中一顆行星。

不反射任何光綫

物理教室

究竟甚麼是黑色呢？我們為何會見到黑色呢？每一種光綫都有它的波長，即光波的長度；把不同波長的光綫順序排列的話，會形成一個光譜。光譜中有一段是我們人類肉眼看得見的，叫「可見光」，即我們常說的「紅橙黃綠青藍紫」。我們看見一樣東西是紅色，是因為它吸收了其他顏色的可見光，只反射紅光；其他顏色的原理也一樣。但假如一樣東西不反射任何顏色的光綫，即吸收了所有顏色，我們便甚麼顏色都看不見，這就是黑色了。

▲我們看見一樣東西是紅色，是因為它吸收了其他顏色的可見光，只反射紅光。

小遊戲：黑洞畫鬼腳

黑洞的引力很大，周遭的物質都會被吸進去，尋找正確路綫返回地球！

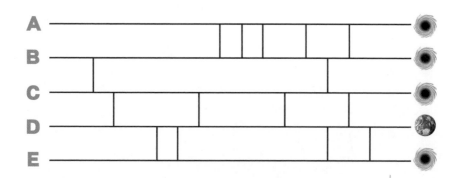

小遊戲：「黑」的四字詞

終於擺脫黑洞，返回地球，但是大氣層的守衛要求你講出三個有「黑」字的四字詞才能放行：

千里電流一綫牽

　　大家在行山的時候，有沒有留意那些高大的電塔？塔上的電纜有時還會放置圓球，你又知道它們有甚麼作用嗎？讓雀鳥歇腳？還是防止電纜給大風吹歪？答案都不對呢。這些圓球的真正作用是讓飛機師看見，以免飛機在低空飛行時撞上電纜或者電塔。因為這個緣故，它們的顏色通常都很繽紛。

電纜上的雀鳥為何不會觸電？

首先大家要了解，電流怎樣才會流通。只有在存在電壓差異時，電流才會通過一件物體，情形就像只有存在高度差異時，水才會從一處流到另一處。當雀鳥兩條腿站在一條電纜時，牠的身體會處於同一個電壓。換句話說，牠的身體沒有電壓差異，所以不會有電流通過。不過如果牠有條腿不小心碰到其他東西，例如電纜垂了下來貼近地面，牠因此碰到地下，那就會形成電壓差異。這時就會有電流通過，令牠觸電！

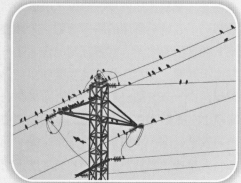

高壓電纜影響健康？

電力是現代生活的主要動力來源，所以高效率的輸電和配電系統非常重要。電能主要是通過架空電纜及地底電纜輸送，其中架空電纜就是由高高的金屬塔架起。電纜在傳送電能時會產生電磁場，有研究認為電磁場可影響人體健康，例如增加致癌風險，不過這些研究目前仍有爭議，未有確切證據可作出定論。不過大家不用太擔心，香港規劃署現時有明確指引，要求兩間電力公司在設計架空輸電纜時，需要遵從《香港規劃標準與準則》所訂下的限制標準，確保市民健康不受影響。

▲架空電塔要和民居保持一定距離。

職業教室 無名英雄天綫技工

電塔跟電纜是重要的供電設施，要是沒有好好維護，出現故障，我們就無電可用。這一切有賴專業的天綫技工，為大家進行保養、維修。因為電塔、電纜長期暴露在戶外，所以很容易受天氣、環境影響，比如有動物觸碰，或者給倒塌的樹木撞到。天綫技工的任務就是巡視這些設施的狀況。要是發現問題，就要立刻搶修。這一點也不簡單，因為他們要徒手爬到那些高度超過六十米，即是差不多二十層樓高的電塔上，去做這些作業。當然事前他們會做好安全措施，穿戴足夠的保護裝備。因為有天綫技工為我們服務，我們才能正常使用電力。他們絕對是無名英雄呢。

❓ **考考你** 猴子甲、乙比賽爬電塔。期間乙失手掉了下來，之後甲也跟着牠掉下去。為甚麼？

歷史教室 電流之戰

電力供應有兩種形式，一種是直流電，電力流動只有一個方向，像電池提供的就是直流電。另一種是交流電，電流每隔一段時間會倒轉方向，電塔、電纜傳送到我們家中的就是交流電。直流電由美國發明家愛迪生（Thomas Edison）開發，曾經是美國的供電標準。然而它有個問題，就是較難轉換電壓。於是另一個發明家特斯拉（Nikola Tesla）開發了交流電，解決這問題。兩種供電方式從此展開「戰爭」，爭取成為主流。這場電流之戰的巔峰是1893年的芝加哥世界博覽會，愛迪生、特斯拉都希望他們的發明能為展覽提供電力。最終交流電以更低廉的價錢勝出，之後逐漸普及起來。

▲ 開發交流電的發明家特斯拉（Nikola Tesla）。

小遊戲：詞語找找看

　　寶珠公主進入了雷神的宮殿，找到一張有關「電」的密碼紙，試試從中圈出帶「電」的四字詞，通過雷神的考驗。

強	雷	轟	炸	驚
風	行	電	擊	為
馳	人	光	交	天
電	止	火	功	加
掣	步	石	破	人

小遊戲：一筆畫閃電

　　雷神發出最後的考驗，試試一筆畫出圖中帶有閃電的圖案。

玻璃改變世界

　　玻璃是生活中隨處可見的物料，從水杯、花瓶、窗戶、鏡子、手機的觸控屏幕，以至大廈幕牆，都少不了玻璃的蹤影。雖然玻璃看似普通，但它對人類的文明發展，例如意大利在13世紀末，用玻璃製造了第一副眼鏡，令人類不再受視力不佳所困擾；人類自從發現玻璃有反射的特性之後，科學家便利用玻璃發明出顯微鏡、望遠鏡等工具，大大改變了科學的探究方法，促成了微生物學、天文學等科學發展。別忘記玻璃除了透明之外，還是天然的惰性物料，不透氣、不溶解，不會釋放化學物質和起變化，所以實驗用的燒瓶、燒杯、試管、吸管、量筒等實驗儀器都是用玻璃製成，看來人類在科學上的進步，玻璃實應記一功呢！

玻璃是甚麼？

我們較常接觸的玻璃，主要是由二氧化矽構成。只要用高溫把矽沙（地球上最常見的沙子）熔化，就能製造玻璃。玻璃的特點是透明（或半

透明）、既硬又脆、自然元素穿不透。有傳聞說玻璃其實是移動緩慢的液體，所以中世紀的玻璃窗底部比較厚，因為玻璃都流到下面。但那是錯誤的，玻璃絕對是固體，不是液體。中世紀的玻璃窗底部比較厚，只是因為技術因素，燒製不均勻。

考考你 這扇玻璃窗畫了十六個英文字母，一些塗了紅色，一些塗了藍色。根據圖中邏輯，P應該塗甚麼顏色？

A	B	C	D
E	F	G	H
I	J	K	L
M	N	O	P?

地球沙子將用光

玻璃回收的確刻不容緩，因為地球的沙子愈來愈少，再不做點甚麼，我們將會不夠沙子用——對，你沒有看錯，地球可能出現沙子短缺。在現代，很多產品都含有沙，像玻璃、晶片、化妝品、混凝土以至牙膏，都用到沙來製造。現時全球每年須要500億噸沙子，用以製造不同產品，我們消耗沙子的速度，已比自然產生的快。

沙子最大的用途是製作混凝土，然而沙子的數量是有限的，我們使用的沙子來自湖底、海底，過度開採不但破壞生態環境，還導致岸上沙子流失，引起洪水氾濫。這是不能不正視的問題，因此各地政府已開始立例規管沙子開採、混凝土製作，並鼓勵循環再造，改善情況。

中文教室

成語也有沙

　　因為沙子十分細小，中文很喜歡以沙子表示細微，例如成語「聚沙成塔」。「聚沙成塔」出自佛教經書《妙法蓮華經》，在一個故事裏，佛祖告誡弟子要成佛道不一定要追求大功德，就是累積小小的善事也可以。佛祖舉例，比如為佛建造佛塔可以有很多形式，既能用金銀、瑪瑙，也能用磚瓦、石頭，甚至小孩那樣堆沙做塔也沒有關係，這些行為都算功德。後來原文「聚沙為佛塔」變成「聚沙成塔」，比喻積少成多的意思。

視藝教室

沙的藝術

　　沙子不僅能製造玻璃等產品，還可以創造美麗的藝術。有種藝術名為沙畫，或稱乾畫，就是由沙子完成。創作者會在光滑的平面撒下彩色的沙石、木炭、花粉或其他乾爽的材料，藉此創造圖案。這本來是美洲原住民部族所發展出來的藝術，已知的圖案有大約六百種，包含了閃電、彩虹、各種神靈、動物、植物等，相信與宗教儀式大有關聯。但時至今日其他地方也能看到這種藝術。

❓ 考考你 下面是一幅現代沙畫，你能看到甚麼東西？

▲本地沙畫師海潮在製作沙畫。

小遊戲：玻璃杯難題

曲家里想用兩隻容量分別是5公升和3公升的玻璃杯子裝出剛好4公升的水，你有方法幫幫他嗎？

5公升　　　**3公升**

小遊戲：尋找家居玻璃

寶珠公主「玻璃心」起，想看看家中有甚麼玻璃製品，你可以把下面家居中的所有玻璃製品圈出來嗎？

重量小知識

　　近年，科學界有個重要的改變——那就是科學家為公斤（kg）找了新的定義。大家經常使用公斤這個單位，但你知道它是怎樣定義嗎？為甚麼一公斤是一公斤呢？在改變定義前，科學家把名為Le Grand K的金屬塊的重量定義為一公斤。這塊Le Grand K鎖了在巴黎一個保險箱裏，而全球各地都有它的複製品。自19世紀起，Le Grand K跟其他複製品一直是國際重量標準。不過隨着年月過去，這塊金屬的重量起了變化⋯⋯

公斤新定義

▲因Le Grand K跟複製品遭侵蝕，導致重量變得不一樣，於是科學家要為公斤尋找新的定義。

近年科學家發現了一個問題——隨着時間過去，Le Grand K跟複製品遭到不同程度的侵蝕，導致重量變得不一樣，這是不能接受的。於是科學家決定為公斤尋找新的、穩定的定義。由於電力能產生磁力，而磁力能移動重物，科學家想出可以用電量來定義公斤。物理學本來就有一個數值表示重量和電流的關係，稱為普朗克常數（Planck's constant），因此科學家決定以普朗克常數來表示公斤。

比薩斜塔實驗是真的嗎？

傳說科學家伽利略做過以下實驗：為了證明重的東西不會墜落得比較快，他在比薩斜塔上同時放下一輕一重兩個球，結果證實他對了。這個結果沒有甚麼爭議，不過伽利略真的做過這實驗嗎？可以肯定的是，在那個時代，大部分人都覺得重物掉得比輕物快。但伽利略並不認同，認為這是錯誤的。只是到底他有沒有進行過上述的實驗，卻不是那麼確定。這件事只在伽利略門生所寫的書提及過，但其他已知的文獻並沒有記錄。有些人相信，伽利略做過類似的實驗，只是未必在比薩斜塔；也有人認為事件純屬虛構。真相是甚麼，大概只有伽利略本人知道。

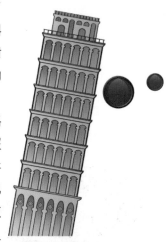

▲傳說伽利略曾在比薩斜塔上同時放下兩個一輕一重的球，證明重物不會下墜得較快。

中文教室

泰山鴻毛

　　中文有謂「死有輕於鴻毛，重於泰山」，這句話出自漢代司馬遷的《報任少卿書》：「人固有一死，死有重於泰山，或輕於鴻毛，用之所趨異也。」泰山是中國名山，屬於五嶽之一，在文中比喻很有分量；而鴻毛是鴻雁的羽毛，比喻極之輕微。整句話的意思：人都難免一死，有些人死得很有意義，有些人卻死得毫無價值，選擇各有不同。重、輕分別用來表達生命價值的大小。後人多數以「死有輕於鴻毛，重於泰山」，表示我們應該為了成就大義而作出犧牲。

▲鴻毛用來比喻極之輕微；「死有輕於鴻毛」，意即死得毫無價值。

英文教室

無錢心事重

　　英文有不少用語跟輕重有關，像A light purse makes a heavy heart。錢包很輕，代表裏面沒有錢，自然令人心情沉重，所以這句話的意思是「無錢心事重」。除此之外，有個形容和「輕於鴻毛」相似——as light as a feather，那是很輕的意思。例如You are as light as a feather，即是「你輕得很」。美式英文又有have a heavy foot的說法，指開車太快。例如He has a heavy foot，即是「他開車太快」。

 考考你　小明乘搭校巴上學、放學，去程花了一小時，但回程卻花了兩個半小時，為甚麼？

▲美式英文中的have a heavy foot說法，指開車太快。

小遊戲：重量排行「磅」

大家的家中有量度重量的磅嗎？試試在家中找出五樣物品，先推測一下它們誰比較重，然後實際量度一下，寫成下面的排行榜吧！

推測：

排名（1為最重）	1	2	3	4	5
物件					

量度後：

排名（1為最重）	1	2	3	4	5
物件					
實際重量（克g）					

小遊戲：找出「肥」與「胖」

寶珠公主最怕別人說她胖子，請把下面有「肥」或「胖」的成語塗黑，不要被公主看到！

港	心	小	復	矮	徹
口	李	廣	三	矮	傻
光	重	蹈	體	胖	滿
明	大	肥	頭	胖	耳
獨	食	難	肥	州	真
正	明	上	香	噴	噴

機械人好幫手

　　新冠病毒疫情蔓延全球，令很多行業都不得不思考如何減低人與人之間的接觸，於是便加快研究和使用機械人。例如在香港的科學園內便有一間智能餐廳，由廚房煮食到把食物送到客人桌上，全部由機械人代勞，不但衞生，而且好玩！此外，香港也有社交機械人專門擔起幫助自閉兒童溝通的重大任務，而日本更有機械人擔當郵差派信的角色呢。大家還想到機械人可以替代我們做些甚麼有趣的工作嗎？

「機械人」也叫「機器人」

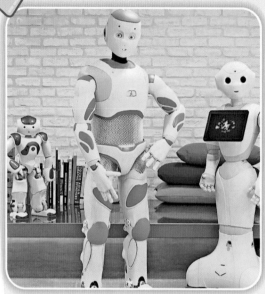

「機械人」只是香港和澳門的慣常說法；在內地、台灣，以至在新加坡、馬來西亞等華人地區，這種智能機器都叫作「機器人」。所謂「機械人」或「機器人」，可指外表像人的機械或機器。但是，「機械人」的意思其實闊得多；即使外表完全不像人的機械，只要是內置了電腦程式，能自動執行某些指令，都可以這樣稱呼。

「機械人」叫robot

「機械人」的英文叫robot，讀作ROH-bot，複數是robots。例句：Only a robot can repeat this action thousands of times without feeling tired（只有一個機械人才可以重複這個動作千萬次而不感到疲倦）。它的形容詞形式是robotic，讀作roh-BOT-tick。例句：This robotic arm can do many difficult tasks（這隻機械臂可以做到很多困難的工作）；句中的robotic arm便指機械臂，又例如robotic leg是機械腿。

 考考你 較聰明的機械人常叫作「人工智能」，它由哪兩個英文字表示？

31

機械人用途廣泛

科學教室

機械人的應用十分廣泛，以下只是其中一些常見用途。

- 工業：例如製造汽車、機器等；
- 服務：例如煮食、端餐、派信等；
- 寵物：機械人可製成像貓、狗等動物的外形，讓小朋友以至成年人在家中當作寵物般飼養，好處是較衛生，壞處則是缺少了真正的「生命」感覺；

- 戰爭：戰爭容易危及軍人性命，動用機械人則可減少人命傷亡；
- 危險工作：例如拆毀炸彈、到海底或火山勘探等等。

機械人的三大定律

科幻教室

科幻，即科學幻想小說，是結合科學理論與奇幻想像的文學類型，當中不少都與機械人有關。科幻小說的一位著名作家叫艾西莫夫（Isaac Asimov），他曾在其作品中為服務人類的機械人制定了行為守則，常稱作「機械人三大定律」。它們是：

一. 機械人不得傷害人類，或坐視人類受到傷害；

二. 機械人必須服從人類命令，除非命令與第一法則發生衝突；

三. 在不違背第一或第二法則之下，機械人可以保護自己。

小遊戲：機械家庭找不同

　　莎因斯到了機械人國，碰上兩個十分相似的機械人家庭，試圈出兩個家庭的六個不同之處。

小遊戲：機械人表錯情

　　莎因斯發現這個國家的機械人看不明白人類的表情，試把下面的表情，與文字描述你可能遇到的事情作配對。

A. 心愛的玩具狗被好朋友志偉玩壞了，你覺得十分傷心。

B. 好朋友志偉做了錯事，但沒有任何悔意，你對他感到憤怒。

C. 志偉向你道歉，你們和好如初，你覺得十分欣慰。

D. 你們相約下星期去沙灘玩，你覺得很開心。

E. 你決定當日跟他開個玩笑，你想好好作弄他。

尋根究底學質數

　　對數學家來說，1月7日、3月17日、11月19日都是很有趣的日子，大家有發現這些數字有甚麼共同點嗎？沒錯！它們都是質數。所謂質數是指除了1以外，只能被1或自己整除的整數，那可以說是數字的基本分子。你們有沒有想過，明明1也是「只能被1或自己整除」，為甚麼不算質數呢？那是因為，質數最大的作用是表示一個數的唯一、基本的形式。例如6等於2x3，10等於2x5。如果把1也算成質數，那6就可以寫成1x2x3、1x1x2x3、1x1x1x2x3……沒完沒了，也沒有意義，因此數學家把1排除在質數的行列外。

加密不可少

在現代社會，質數是最常用的加密方式——RSA加密法的基礎，不可或缺。RSA加密法的原理，簡單來說，是把訊息化為數字，再跟兩個質數相乘的積進行運算，變成一堆一頭霧水的數字。除非你知道那兩個質數是

甚麼，否則無法解開訊息是甚麼。只要兩個質數夠大，即使動用最先進的電腦，也無法在短時間內根據它們的積，去推算它們是甚麼。故此質數是很好的加密工具。不過專家判斷，密碼起碼要有六百一十七位數的質數才算安全。

蟬也會質數？

在自然界也能找到質數的蹤影。例如，蟬的一生會花大部分時間在地底，通常是十三年或十七年，之後才爬出地面繁殖。為何會這樣呢？科學家推測，這種演化令蟬不太會跟捕食者相遇。要是蟬的繁殖周期能被捕食者的周期整除，那牠們將會在某個時間同時出現。比方說，如果蟬的繁殖周期是十二年，牠們很容易會碰到每隔兩年、三年、四年、六年繁殖的捕食者。當然，蟬並不會數學，那是長時間的演化，把繁殖周期不理想的蟬淘汰後得出的結果。

文化教室

一個數一本書

要是在書局看到一本談論質數的書，你會不會買呢？你可能以為有興趣的人不會太多，事實卻並非如此。2018年年初，有一本數學書在日本大賣。那本書共有719頁，名字是《2017年最大質數》。書籍特別之處，是裏面只印了一個質數！那是2017年底發現、最大的梅森質數，有超過2,300萬位數！梅森質數是以算式「2的N次方減1」計算出來的質數，數量極少，所以非常珍貴。《2017年最大質數》上架只4天就賣出1,500本，而在這之前，出版社從來沒有賣出超過600本書。也許喜歡數學的人其實比想像的多呢。

？ 考考你 一間書局有一本《2017年最大質數》，有七間售罄的書局，那現在共有多少本《2017年最大質數》？

▲全書只印了一個質數的《2017年最大質數》在日本大賣，出版社翌年又出版了厚達769頁的《2018年最大質數》。

中文教室

為何質數叫質數？

質數又叫素數，古時又稱為數根。不管是質、素還是根，都有根本的意思，表示了質數的性質。最早研究質數的人是古希臘數學家，名為歐幾里得。他在經典數學書《幾何原本》裏的一部分探討了質數的性質。中國古代數學雖然也有一定成就，例如早在二千多年前已有四則運算、分數的應用，但卻對質數沒有太多研究。專家認為，原因是中國古代數學始終着重實際用途，因此沒有探討純粹的數學問題，例如質數。

▲古希臘數學家歐幾里得是最早研究質數的人。

小遊戲：質數九宮格

　　王子的電腦被知名駭客「質數人」入侵了，駭客設計了一組密碼，要用下面的九個質數填入九宮格，使得直、橫、斜加起來都是177，才能解鎖。

5、17、29、47、59、71、89、101、113

小遊戲：追捕「質數人」

　　駭客被發現後，逃離現場，請你盡快通過迷宮，追捕「質數人」！

剖析蚊子
一針見血

　　夏天是蚊子滋生的季節，大家都要小心防蚊呢。要是不小心染上傳染病，那就不妙了。不曉得你有沒有遇過這種情形：跟朋友一起郊遊，離開時滿身都是蚊叮的腫包，但你朋友卻一點事也沒有。如果你是這種人，可以放心，你不是孤獨的。

　　有研究指出，大約有兩成人特別容易被蚊叮。那麼是甚麼因素吸引蚊子呢？科學家有幾個推測，第一個因素是血型。蚊子之所以會吸血，是因為想吸收血液裏的蛋白質。有研究發現，蚊子最愛O型血；第二個因素是二氧化碳。由於蚊子靠二氧化碳來定位，呼氣較多的人，比較容易招惹蚊子；第三個是顏色。因為蚊子會用眼睛尋找目標，衣服顏色太突出，像黑色、深藍色、紅色，會比較容易給牠們看上。

打蚊有技巧

　　蚊子最討厭的地方，是每次你想拍打牠們，牠們總是有辦法從你掌心逃出來。但其實，只要掌握一個訣竅，就可以提高命中的機會。大部分人拍蚊，都是像拍手那樣，兩手合攏起來。有些人甚至試着徒手抓蚊。但這些方法都是不對的。最好的做法，是雙手一上一下拍擊蚊子。原因是蚊子左右移動的速度比較慢，上下移動的速度比較快。若用上下拍擊的方法，蚊子比較難逃走。

> ❓ 考考你　有個人用手拍蚊，但那些蚊卻毫髮無損，為甚麼呢？

羅馬帝國因蚊而亡

　　蚊子雖然細小，但牠們的影響力一點也不小。歷史學家相信，羅馬帝國所以會衰落，其中一個原因是蚊子。英國、美國研究人員曾經分析羅馬北部墓地的骨骼，發現這些有1,500年歷史的骨頭有瘧疾的痕迹。瘧疾是蚊子傳播的疾病，能夠引致流產、嬰兒死亡。歷史學家懷疑，因為羅馬帝國出現瘧疾，導致兵力下降、士氣大減。這令強大的羅馬帝國變得衰弱，無法擊退入侵者如西哥特人、匈人、汪達爾人。中文有句成語叫「螳臂擋車」，有時似乎不成立呢。

科學放大鏡

蚊子全消滅

STEM 教室

要是把所有蚊子都消滅了，會怎麼樣？

答案是不知道。畢竟除非你真的消滅所有蚊子，否則永遠無法得知後果如何。當然，科學家還是可以作一些想像。首先，生態環境受到的影響，可能比想像的小。雖然蚊子是許多動物的食物，但沒有一種物種是完全依賴牠們的。也就是說，即使沒有蚊子，食物鏈也不會有太大問題。其次，很多生命會獲得拯救。每年大約有數十萬人死於瘧疾，假如世上沒有蚊子，這些生命將會得到拯救。因為消滅蚊子的好處看來比壞處大，所以真的有研究人員在研究讓部分蚊子絕種。你有甚麼看法呢？我們應該把蚊子都消滅嗎？

蚊的詞彙

中文 教室

蚊子可說是無處不在，就是在文字裏也可以找到牠們的蹤影。你認識其中幾個呢？

蚊睫：蚊的眉睫。比喻極其細微的東西。

使蚊負山：讓蚊子背負大山。比喻能力無法勝任。

聚蚊成雷：蚊聲雖小，但聚集起來可大如雷聲。比喻壞話說得多能迷惑人心。

蚊虻之勞：蚊蟲、虻蟲能做的事。比喻微末的技能。

蚊虻走牛羊：蚊蟲、虻蟲能驅使牛羊奔走。比喻小能制大。

蚊子遭扇打，只為嘴傷人：蚊子會捱打，只因牠的嘴會傷人。比喻話多容易得罪人。

小遊戲：滅蚊大作戰

　　最近王子經常在家中被蚊子叮咬，懷疑家中滋生蚊蟲，大家能找出王子家中會導致蚊子滋生的因素嗎？

小遊戲：生物找不同

試在以下圖案中，找出不是同一類的生物。

1.

2.

3.

第二章

生活健康營

多喝水 好處多

　　大家會如何增強自己的專注力呢？原來多喝水是一個有效方法。過去十多年來，外國有不少研究都證實人體攝水量和大腦的功能相關，如果大腦沒有足夠的水分，可以導致很多不良後果呢。美國一份報告便指出，有多達一半學生的體內水分不足，而這樣不但令學童的學習能力、專注力、認知能力都下降，更會令孩子們容易生氣和頭痛。每天究竟要喝多少水，要視乎年齡、運動量等等，但總之不要經常到了很口渴才喝水啊。

「水」是water

「水」的英文是water。留意這個英文字的第一個音（叫「音節」）較長，有點像粵語的「窩」，而並非讀得短短的。「凍水」是cold water，「熱水」是hot water。至於冰凍的水、滾燙的水、和暖的水，分別叫作ice-cold water、boiling water、warm water。「食水」，即可供飲用的水，叫drinking water，而「水喉水」則叫tap water。「樽裝水」是bottled water，它們有些是「蒸餾水」，叫distilled water；有些則是「礦泉水」，叫mineral water或spring water。

考考你 今天我們猜個謎語。「在水中央」，猜一個英文字母。

含「水」字的四字詞

含「水」字的四字成語有很多，你懂得下面三個嗎？

（一）「水滴石穿」：水滴得久了，石頭也會穿孔；比喻只要恒久努力，最終必定會成功。

例句：陳先生好學不倦，決心每天讀一頁詞典；結果水滴石穿，三四年時間便讀畢整本詞典。

（二）「水落石出」：冬天時水位落下，石頭便顯露出來；比喻事情真相大白。

例句：這隻狗死得那麼慘，我們必須查個水落石出。

（三）「車水馬龍」：車如流水般，馬如一條龍；形容車馬往來不絕，景象繁華熱鬧。

例句：新春出外，街上車水馬龍，好不熱鬧。

地球表面七成是水

地球教室

我們居住的星球雖然叫「地球」，但其實地球表面只有三成面積是陸地，其餘七成都是水，因此有科學家打趣說，我們應當把它叫作「水球」才對呢。不難猜到，地球的水分大多數積聚在海洋，其次是淡水的湖泊和河流；此外，尚有一些是地下水，有些是位於南極和北極的冰川和冰帽，還有空氣中的水蒸氣和天空上的雲塊等。人類對地底的認識不算太少，但我們對海洋的認識卻相對少得多呢。

水由氫和氧組成

化學教室

水是一種化合物，即由多於一種化學元素組成。它由氫（hydrogen，H）和氧（oxygen，O）結合而成，每個水分子由兩個氫原子和一個氧原子合成，因此可把水寫作H_2O。在室溫，雖然氫和氧都是氣體，但水卻是液體。在不同溫度下，水有不同形態：攝氏零度至一百度，水是液體，叫作「水」；冷卻至零度，水便成為固體，叫作「冰」；而加熱到一百度，水便化作氣體，叫作「水蒸氣」。

小遊戲：水的粵語詞

試根據提示圈出合適的詞語。

明	散	步	提	水
聰	水	睡	覺	豬
半	錢	食	上	籠
桶	零	醒	學	入
水	書	本	水	水

1. 提示：三個字，
   形容人學藝不
   精、半懂不懂。

3. 提示：兩個字，
   形容人警覺性
   高，反應很快。

2. 提示：兩個字，
   形容給予提示予
   別人。

4. 提示：兩個字，
   形容解散或離
   開。

小遊戲：容量大比併

為了要在日常生活中多
喝水，王子找來數個容器來盛
水，大家能找出下列哪個容器
的容量最大嗎？

A. 350毫升

B. 0.5升

C. 2,500毫升

D. 20升

眼睛過勞

　　早前抗疫停課，學生都要留在家中上網課，使用電腦的時間比平日更長。除此之外，可能還要加上課餘打機的時間呢！使用電腦或手機上網，如今已是生活不可或缺的部分，但長時間或近距離使用電子產品，卻會導致雙眼疲倦，容易出現眼乾、刺眼、甚至流眼水、畏光等不適，因為電子產品的藍光會穿透眼角膜及晶狀體，對眼睛造成損害。不少專家都估計，受新冠疫情影響，小朋友患上近視的比率亦增加了，而本身有近視的小朋友則度數加深。各位同學，使用電子產品之餘，記得好好照顧自己的眼睛健康啊。

目不轉睛看東西

有三個常用字都可指我們用作看東西的器官，它們是「眼」、「睛」、「目」，而前兩個字又常連用作「眼睛」。原來「睛」除了解作眼目外，尚可專指眼珠，例如四字成語「目不轉睛」，字面意思是眼望着一樣東西，眼珠固定而不轉動，而實際上是指集中精神觀看一樣東西。又例如另一個四字成語「畫龍點睛」，字面意思是畫龍畫到最後會點上眼珠，用作比喻繪畫或文章的最重要一筆，以至做事的最重要一步。

❓ 考考你 在「相」、「直」、「真」三字中，有哪些是「目」字部首？

「瞳孔」叫pupil

「眼睛」是eye，複數是eyes。最有趣的是，pupil固然可指「學生」，但原來pupil也指眼睛裏的「瞳孔」，即眼珠前方用作調節光綫進入多少的圓孔。此外「眼皮」是eyelid，分為「上眼皮」（upper eyelid）和「下眼皮」（lower eyelid）。「眼睫毛」是eyelashes，由於有很多條，因此通常用複數；而「眉毛」則叫eyebrow。留意我們一隻眼有很多條eyelashes，但卻只有一條eyebrow。至於「眼白」，即眼睛內的白色部分，日常生活中常叫white of the eye，此外也可叫作sclera。

生活健康營

健康
教室

常聚焦近物 易患上近視

　　小朋友最容易患上的眼疾是近視。在正常情況下，我們看見東西時，影像應當剛巧聚焦在視網膜上。若患上近視，影像便不會落在視網膜上，而是在較前方的位置。這時，影像會變得模糊。近視有很多成因，其一是

常聚焦近距離的物件，令眼球肌肉長期拉緊，以至無法放鬆。因此，若長時間讀書、看書、溫習、看電子產品，便較易患上近視。一個預防方法，是每隔一段時間（例如一小時）眼望遠方一兩分鐘，令肌肉放鬆。

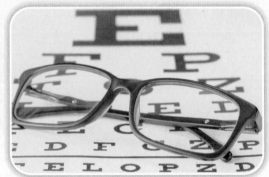

生物
教室

沒有眼睛的動物

　　眼睛對人和動物的生存極為重要，因為視覺可以幫助我們尋找食物和逃避敵人。然而，有些動物原來天生沒有眼睛、沒有視力呢。但不用擔心，牠們可以生存到現在，自然因為沒有眼睛卻仍然可以找到食物和保護自己，例如有些物種（例如某類蚯蚓）長期生活在黑漆漆的泥土中，根本不用視力。又例如北美洲有一種「星鼻鼴」（「鼴」粵音讀作

「演」），牠們雖有小眼睛，但視力為零，而鼻尖則有22隻觸手，外表像星星，牠們尋找食物的能力比有眼睛的鼴鼠大數倍呢。

小遊戲：診斷眼疾

　　我們的眼睛有機會患上不同疾病。大家能將以下的眼睛疾病，配上適合的描述嗎？

1. 近視 •
2. 遠視 •
3. 散光 •
4. 色弱 •
5. 斜視 •

　　• A. 左右眼位置不對稱，會向內/外傾斜或雙眼高低不平衡

　　• B. 看遠的景物會模糊，而看近的景物則較清楚

　　• C. 看遠的景物會模糊不清，看近的景物也會有一點模糊

　　• D. 看遠近景物時都有機會模糊不清，尤其是較近的景物

　　• E. 分辨顏色的能力較低，當多種顏色混合在一起時（例如紫色和藍色），或會看不出當中的分別

小遊戲：顏色的英文

大家知道調色板上哪些顏色的英文嗎？試將相應的英文名稱填在橫綫上。

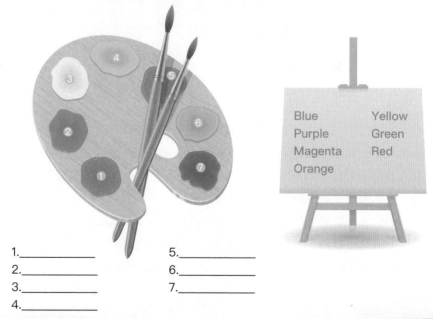

Blue　　　　Yellow
Purple　　　Green
Magenta　　Red
Orange

1.＿＿＿＿＿＿　　5.＿＿＿＿＿＿
2.＿＿＿＿＿＿　　6.＿＿＿＿＿＿
3.＿＿＿＿＿＿　　7.＿＿＿＿＿＿
4.＿＿＿＿＿＿

吹毛求疵
尋根究底

　　每年農曆新年前，我們都會理個新髮型，迎接新的開始。但如果生在古代，可能就不能隨便理髮了。以前有「身體髮膚，受之父母」的說法，古人認為身體是父母給予的，損壞了即是不孝，所以當時的兒童既不剪髮，也不束髮，名副其實是披頭散髮。到了小孩八九歲，父母才會打理孩子的頭髮。他們會把頭髮分開兩邊，紮成兩個髻。由於看起來像羊角，這種髮型稱為「總角」。那是甚麼模樣呢？通勝春牛圖裏有個牧童，頭上紮的就是總角了。

鼻毛有甚麼作用？

首先鼻子的毛髮其實有兩種，一種是大家認知的、看得到的「鼻毛」（vibrissae），有些人會嫌它們礙眼，把它們拔掉；另一種叫「纖毛」（cilia），非常細小，肉眼無法看見。兩種毛髮各有功用，纖毛負責把黏着塵埃、細菌的分泌物推到鼻子後方，落入胃部消化；而鼻毛用來阻隔較大的異物，令它們不能進入鼻子裏。簡單來說，它們是身體的守衛。

▲鼻子裏的纖毛非常細小，肉眼無法看見。

戰爭帶動鬍子潮流

近年西方男士頗流行蓄鬍子，不少明星、運動員都長有鬍子，毛茸茸的。鬍鬚其實就像時裝，有興盛的時候，也有衰落的時候。在19世紀中期，英美曾經掀起鬍子的風潮。因為當時爆發了克里米亞戰爭，英兵為了在寒冷的克里米亞打仗，紛紛留起鬍子來。鬍鬚因此成了英雄的標記，這個潮流後來也吹到隔岸的美國去。然而，到了19世紀後期，鬍鬚又給人古老、保守的感覺。加上美國發明家吉列（King Camp Gillette）發明了即棄刀片，令刮鬍子變得更容易、便宜，大家又偏好把鬍子刮乾淨。鬍鬚的潮流不斷變化，說不定幾年後，西方又會追求清爽的臉孔。

?
考考你　甚麼可以修飾雙手？

生活健康營

天使的頭髮

文化教室

　　有種意大利麵食（pasta）稱為「天使的頭髮」（angel hair），香港的餐廳有時也能吃到。那是一種幼細的麵條，正式名稱是「卡佩利尼」（capellini），香港通常叫「天使麵」。意大利麵食有很多不同的種類，大家最熟悉的肯定是意大利粉（spaghetti）。那是比天使麵粗的麵條，是西方其中一種主要麵食。除此之外還有通心粉（macaroni）——香港一般放湯來吃，美國則是跟芝士一起食用；千層麵（lasagne）——薄薄的寬麵，很多時候疊成一層層，混合醬汁食用。這麼多麵食，你最喜歡哪一種呢？

眉目傳情

中文教室

　　古時候，眉毛是重要的儀容。早在春秋戰國時期，女士已開始畫眉了。在文學作品不難找到眉毛的描寫，像唐代溫庭筠的《菩薩蠻》：

> 小山重疊金明滅，鬢雲欲度香腮雪。
>
> 懶起畫蛾眉，弄妝梳洗遲。
>
> （節錄）

　　詩人描寫了一個女子起牀梳洗的嬌美姿態：她畫的小山眉（一種眉毛式樣）跟額黃（額頭塗的金色化妝顏料）都已經褪色了，鬢髮凌亂的垂在雪白的臉上。她懶得起來畫眉，慢條斯理的梳洗打扮。形容不但具體鮮明，而且十分優美。

小遊戲：古文猜猜看

我們現在書寫的文字，不少都由甲骨文或金文演變而來，大家能幫助文字家族找出它們對應的古文嗎？

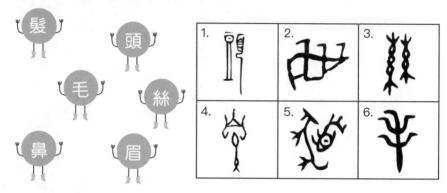

小遊戲：分辨髮型

我們都會為自己的頭髮修剪和打理成各式造型，大家知道下圖髮型的名稱嗎？

1. 辮子

2. 爆炸頭

3. 髮髻

糖稅

甜食的誘惑令人難以抗拒，每年世界各地都有多不勝數的人，因為攝取過量糖分而引致癡肥和患上糖尿病。為了對抗「糖」這名有害健康的世界公敵，世界衞生組織呼籲各國通過徵稅等政策，提高含糖飲料的售價，從而令消費者減低購買意欲，改變高糖飲食的習慣。為了國民健康着想，不少國家已加入徵收糖稅的行列，包括泰國、挪威、英國、愛爾蘭、南非、馬來西亞、巴拿馬、意大利、匈牙利等地。以英國為例，每100毫升含5克糖以上的飲料，都必須繳交額外稅款，希望徵稅措施可鼓勵飲料及食品製造商發展新技術，減少食物中的糖分。

糖影響大腦發育

大腦中掌管記憶功能的區域是海馬體。美國加州大學的科學家發現，高糖飲食會影響海馬體發育，導致記憶力衰退；攝取過量糖分亦會引致肥胖問題，研究人員同時觀察到，肥胖青少年的大腦海馬體體積比正常體重的青少年為小，導致肥胖的青少年在數學、拼寫和大腦的靈活度方面，都表現得較差，這項研究印證了過多糖分和脂肪會影響大腦的發育，削弱記憶和學習能力。如果想記憶力更好，便要謹記向高糖飲食說「不」了。

為甚麼糖可保存食物不變壞？

新鮮食物在室溫環境容易變壞，這是因為食物中含有營養物質和水分，這些都是細菌和黴菌喜歡的生長條件。如果想保存食物不變壞，其中一種方法是「糖漬」，意思是把食物浸泡在糖的溶液，或用固體的糖醃製食物，都可起到天然防腐的作用。當食物中的水分接觸到高濃度的糖之後，水分會從食物中移到外面，糖分子則會滲入食物內部，由於微生物無法在水分子含量不足的環境中生長，所以用糖醃製的食物如果醬、蜜餞等，便可保存得更久。

生活健康營

健康教室

糖為何危害健康？

醫學界愈來愈多研究發現，吃太多糖不止會令我們蛀牙和發胖，還會導致可怕的心臟病、糖尿病、高血壓等代謝性疾病，甚至可增加患上癌症的風險。因此，世界衛生組織近年都在努力宣傳減糖的訊息，建議兒童遠離高糖的加工食品，尤其是汽水、糖果、雪糕等高糖食物；又強烈建議每人每天游離糖的攝取量要低於每日總熱量的百分之十，如果可以降至百分之五就更加理想。（如果以每天攝取2,000卡路里為例，每日游離糖便要少於50克，即大約10粒方糖，如果可以進一步減至25克，即5粒方糖，就更佳。）

▲市面上大多數汽水的含糖量都十分驚人，例如一罐330毫升可樂已含有35克糖（約7茶匙）；一盒375毫升檸檬茶則含有51克糖（約10茶匙）。

英文教室

"Brown sugar" 是「紅糖」還是「黑糖」？

Brown sugar是指由甘蔗提煉出來而未經精製的糖，由於保留了黑色的糖蜜，所以呈深淺不一的咖啡色。中文稱Brown sugar為「紅糖」，也有人稱顏色較深的為「黑糖」，英文則一般統稱Brown sugar；但如果要細分，也可分為Dark Brown sugar和Light Brown sugar；含有愈多糖蜜的Brown sugar顏色愈深，英文就在前面加上"Dark"來區分。

? 考考你 糖果在英文世界中名稱繁多，例如以下這些糖果名稱，全部都不含sugar一字，你能正確配對出它們的中文名稱嗎？

Marshmallow ·	· 爆炸糖
Soft candy ·	· 泡泡糖
Lollipop ·	· 薄荷糖
Popping candy ·	· 棉花糖
Chewing gum ·	· 口香糖
Bubble gum ·	· 棒棒糖
Nougat ·	· 鳥結糖
Mints ·	· 軟　糖

小遊戲：走出心臟迷宮

攝取過量糖分會導致心臟病，你們可以走出下面的心臟迷宮嗎？

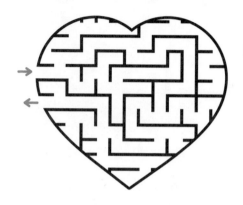

適量運動能預防心臟病！

小遊戲：腦力大挑戰

　　過量的糖分會影響大腦功能，例如記憶和學習能力，試試完成下面的數學遊戲，挑戰一下自己的大腦！

$$\square = 1 \qquad \bigcirc = ? \qquad \triangle = ?$$

$$\square + \bigcirc = 4 \qquad \bigcirc + \square + \bigcirc = 7$$

$$\triangle + \bigcirc = 8 \qquad \square + \bigcirc + \triangle = 9$$

$$\triangle + \triangle = 10 \qquad \triangle + \bigcirc + \triangle = 13$$

好像……有點難……

香蕉連皮吃

　　香蕉外皮肥厚，味道不好，所以一般人吃香蕉不會連皮吃。但日本近年有多家農場培植出一種可以連皮吃的香蕉，試吃過的人說，香蕉外皮較薄，口感柔軟，還帶有類似菠蘿的香味。原來新品種香蕉利用一種「冷凍融解覺醒技術」來縮短香蕉的栽培期，先把蕉的生長環境緩慢降至零下60℃，再移植到27℃的環境進行解凍和繼續栽培，這方法可以使香蕉快速成熟，長出又薄又軟的外皮。大家想要試一口香蕉連皮吃的滋味嗎？

蕉的量詞

如果掛在樹上連在一起的香蕉，可以寫作「一串」香蕉；把香蕉從樹上砍下來之後，就成為廣東話說的「一梳」香蕉，或普通話說的「一把」香蕉；從一梳蕉取下其中一隻來吃，書面語寫作「一根」香蕉。

？考考你 你能夠把以下香蕉的量詞，從數量最多到最少排列出來嗎？

一串　　一根　　一把

_____ > _____ > _____

香蕉是甚麼地方的水果？

香蕉最初是一種生長在東南亞一帶的野蕉，後來傳播到印度，和當地一種野蕉品種發生雜交，才形成今天我們經常吃到的香蕉品種。香蕉喜歡陽光，主要生長在熱帶和亞熱帶地區，現時世界各地至少有107個國家種植香蕉，全球最大的香蕉生產國是印度，那裏生長着全世界近五分之一的香蕉。不過印度的香蕉幾乎不會出口到其他地區，主要是印度人食用。香港可以買到的香蕉主要來自菲律賓，菲律賓是香蕉出口大國之一，同時也是全球第四大香蕉生產國，出口量佔全球總出口量的9%。

香蕉皮為甚麼會變黑？

香蕉放久了，外皮會長出褐色斑點及變黑，這是因為香蕉皮的細胞中含有豐富酚類物質，以及多酚氧化酶。這兩種物質平時分別隔開在香蕉的細胞中，較少「碰面」。但當香蕉放久了，蕉皮會變薄和容易受損，導致細胞破壞，這時候兩種物質一旦「見面」，就會產生氧化反應，形成褐色斑點，氧化時間愈長，顏色愈深，令香蕉愈變愈黑。

▲荷蘭藝術家Stephan Brusche利用了香蕉細胞受破壞會變黑的原理，進行「香蕉刺青藝術」，用別針在蕉皮上刺出一幅幅有趣的作品。大家也可以拿起別針或牙籤試試看。

（圖片來源：Isteef @facebook）

「Go bananas」是甚麼意思？

香蕉的英文是Banana，英文有一個片語叫「Go bananas」，大家先來猜猜是甚麼意思？

The dog will go bananas when he see the dog food.

狗一看到狗糧就會變得go bananas，大家猜到了嗎？沒錯，就是「瘋了」的意思。這個片語的來源和猴子有關。猴子喜歡吃香蕉，每次只要見到香蕉就會興奮的跳來跳去，像發瘋一樣激動，於是出現了go bananas的片語，就跟go crazy一樣，形容見到令人興奮的事物時，表現出「發瘋」、「瘋了」的意思。

小遊戲：蕉皮留誰踩

畫畫下面的鬼腳，看看誰能避開蕉皮！

小遊戲：猴兒找不同

王子一行人進入樹林後迷路了，兜兜轉轉似乎又回到同一個地方，寶珠公主卻說這兩個是不同的地方，你們可以找出圖中六個不同之處嗎？

我們又來到同一個地方了！

沒事，這是兩個不同的地方。

吃出蟹知識

秋天是吃蟹的季節，大家今年有沒有吃呢？民間一直有個傳言，說蟹和柿子不能一起吃，否則會中毒。到底有沒有這種事呢？其實這只是誤會。蟹含有蛋白質，而柿子含有單寧酸，在學理上來說，兩者混合會凝結成塊，造成腸胃不適，甚至引起腸絞痛。但頂多是這樣而已，並不會造成中毒，所以沒必要太緊張。雖然如此，為免腸胃有太大負擔，兩種食物還是分開進食比較好。

蟹沒有痛覺嗎？

很多人認為，蟹是沒有痛覺的。不過，有研究發現，蟹不但能感到痛楚，而且會記住這種刺激。英國北愛女王大學曾經進行研究，在寄居蟹的貝殼連接上電綫，用電刺激裏面的蟹。結果寄居蟹在遭到電擊後會跑出貝殼，這表示牠們不喜歡這種體驗。而之後當研究人員提供新貝殼，牠們會毫不猶豫拋棄接了電綫的貝殼，選擇新貝殼。研究人員因此推測，蟹不但能感覺痛楚，還會有相關的記憶。長久以來，大家都在爭論，甲殼動物到底會不會痛。如果研究指出牠們有可能會痛，即使不是百分百肯定，我們也應該保障牠們不要受到過分的痛苦呢。

勇戰英雄的巨蟹

占星術中，第四個星座是巨蟹座（6月22日－7月22日），一般以蟹或龍蝦為標誌。巨蟹座的來源其實跟古希臘神話有關。古希臘神話有個英雄，稱為海格力斯，一直是女神赫拉的眼中釘。赫拉不只一次設計對付海格力斯，可是每一次他都能夠憑着神力逢凶化吉。心有不甘的赫拉於是向海格力斯施法，令他犯下重罪。海格力斯因此要完成十二項任務贖罪，而其中之一是收拾九頭水蛇。在戰鬥期間，赫拉派出一隻巨大的蟹協助水蛇，不過海格力斯實在太強了，巨蟹反而被他用腳砸碎。為了感謝那隻蟹的功勞，赫拉將蟹的形象放到天上，形成所謂巨蟹座。

▲因為海格力斯（圖）的力量太強，連被派來協助水蛇的巨蟹也被他用腳砸碎。　（圖片來源：Wikipedia）

？ 考考你　魚沒有腳，蟹沒有翼，那蝦沒有甚麼呢？

生活健康營

英文教室

癌是一種蟹？

巨蟹座的英文名是cancer，不過，一說到cancer，一般人通常想到癌症。為甚麼癌症的英文是cancer呢？這也是跟希臘有關係。在二千多年前，希臘有個醫生叫希波克拉底，醫術十分出色，被喻為是醫學之父。那時候，希波克拉底用了carcinoma、carcinos來表示不同的腫瘤。在希臘文中，兩者都是指蟹。希波克拉底所以會這樣命名，大概是因為腫瘤的形狀有點像蟹。其後羅馬醫生將這個詞彙翻譯過去，定為cancer。在拉丁文中，那是蟹的意思。這就是為甚麼現在癌症會喚作cancer。

中文教室

蘇軾說蟹

中文有「一蟹不如一蟹」的說法，比喻每況愈下、一個比一個差。這句話其實出自宋代文人蘇軾的創作《艾子雜說》。在某個故事裏，艾子在海邊看到一種又圓又扁、長很多腿的生物，一問之下才知道牠們叫蟹。之後艾子看到好幾種不同的蟹，可是一種比一種細小。他忍不住說：「怎麼一蟹不如一蟹呢？」這個說法後來流傳了下來。即使是今天，仍有不少人使用呢。

小遊戲：創造新品種

　　寶珠公主來到蟹王國，她看到這裏的蟹極時尚，穿着五顏六色的衣服，現在試試發揮創意，為下面的蟹模特換新裝。

小遊戲：星空上的巨蟹座

　　寶珠公主在蟹王國遙望星空，發現巨蟹星座特別閃亮，你能在下圖中把巨蟹座的星星連起來嗎？

同學可以在天文台的網站找到更多星圖！

漢堡之謎

　　考考大家，一個重4磅的漢堡和一個重3磅的漢堡，哪一個分量較多？顯然是4磅吧！如果是一個1/4磅和一個1/3磅的漢堡比起來，哪一個分量較多？1980年代，美國快餐連鎖店A&W Restaurants為了擊敗對手麥當勞的1/4磅漢堡，便嘗試以更低的價格推出1/3磅的漢堡，但多數的消費者卻以為1/4磅比1/3磅多，還是選擇了1/4磅，導致策略失敗，令人大感意外。有關於漢堡的有趣謎團，其實還有不少呢！

移民發明漢堡包

歷史教室

漢堡包的起源眾說紛紜，但大致來說大家都相信那是移民美國的德國人發明的。在十九世紀後期，有些德國移民在美國開設餐廳，並供應一款牛肉肉餅菜式。當時這款菜式是用刀、叉進食的，稱為「漢堡牛扒」（Hamburger Steak）。漢堡（Hamburg）是

德國一個城市，以優質的牛肉聞名。到了上世紀七十年代，美國興起了美食車，提供漢堡牛扒等食物。由於在街上用碟子、叉子吃東西很麻煩，一些小販把漢堡牛扒夾在麵包中，方便進食。這就成了我們現在所吃的漢堡包。

不可能漢堡

STEM教室

近年市面出現了一款名為「不可能漢堡」（Impossible Burger）的素食，引起了不少關注。你可能會想，只是素食罷了，有甚麼了不起？這個不可能漢堡有趣的地方，是素肉餅吃起來幾乎跟真牛肉一樣，甚至會流「血水」。這是經過深入研究得到的成果。科學家發現，肉之所以嘗起來像肉，其中一大因素是含有血紅素。這種物質可以在血、肌肉裏找得到。

而植物其實也有類似的東西，例如豆血紅素。研究人員於是在素肉餅裏加入豆血紅素，營造肉的味道。科學家之所以這麼大費周章製造素肉，是因為真肉大量消耗像水、土地等地球資源，如果素肉能取代真肉，將會減輕環境所受的破壞，對地球而言大有好處。

? 考考你　一個人做一個漢堡包要一分鐘，那十個人做十個漢堡要多少分鐘？

生活健康營

中文教室

吃包?吃飽?

有時會看到一些餐廳把漢堡包的「包」寫成「飽」,兩者是不是相通的呢?「包」的廣東話讀音是baau1,有包裹的意思,也指包起來的東西;至於「飽」的讀音是baau2,解吃飽、充分、滿足。兩者不論是讀音、意思都不大相同。包子是麵粉製作、包着餡料的食物,所以應該寫作「包」。有些人可能因為看到「飽」的部首是「食」,誤會這是食物,因而產生混淆。

▲除了漢堡包外,有些港式麵包店也會將「包」寫成「飽」。

生活教室

正確吃包方法

大家肯定都試過,吃漢堡包時醬料噴出來,或餡料掉下來,十分狼狽。有日本電視台就找了流體學、工程學和牙醫專家解決這問題。他們利用電腦建立3D模型檢視抓住漢堡時粒子移動的情況,最後找到最佳的吃法。那就是將大拇指、尾指在漢堡包底部,然後將食指、中指、無名指壓住頂部,這樣的話食材比較不會走位。大家可以試試看呢。

小遊戲：巧手製漢堡

寶珠公主去了快餐店當一日店員，幫助她製作下面的漢堡包吧！

小遊戲：漢堡急口令

用最快的速度唸出下面的急口令，挑戰一下你的家人和朋友，看看誰是漢堡王者！

（一）
大俠愛食漢堡包，
純正牛肉無「賴貓」，
香港市民添口福，
食完唔會亂打交。
（電影《摩登如來神掌》對白）

（二）
雙層牛肉巨無霸，
醬汁洋蔥夾青瓜。
芝士生菜加芝麻，
人人食過笑哈哈。
（1984年麥當勞廣告急口令）

素食面面觀

　　每年的11月25日是國際素食日，但原來香港也有屬於自己的「素食日」呢！為了鼓勵市民多吃蔬果、少吃肉類，香港佛教聯合會自2006年起，把每年年中這一天，即6月15日定為「香港素食日」。不知大家會否響應在這一天吃一頓素，甚或一整天素呢？佛教主張茹素，除了健康理由，也為了護生與慈悲。因此，這天也鼓勵香港市民，通過捐血救人和登記死後捐贈器官，共同行善，利益眾生。

常識教室

素食種類繁多

究竟怎樣才算是「素食」呢？一般來說，不吃肉類、不殺生，便算是素食，因此很多茹素者都喝牛奶和吃雞蛋。然而，一些更嚴格的素食者，則強調不食用或飲用任何動物產品，因而連奶和蛋都戒掉。這類型的素食通常叫作「純素」，有別於一般喝奶吃蛋的「奶蛋素」或「蛋奶素」。此外，有些素食者會吃魚，有些人每星期吃一天素，有些佛教徒每逢農曆初一、十五茹素，有些連蔥、蒜、韭菜都不吃，有些人則只吃水果，種類非常繁多呢。

中文教室

茹素未必食齋

「吃素」也常叫「茹素」，當中的「茹」就是「吃」的意思。另一方面，「吃素」有時也叫「食齋」，但兩者並不完全相同：因為「齋」常含宗教意味，因而有「齋戒」一語；而「素」則未必有任何宗教含義。由於「齋」和「齊」的字形相似，所以曾經有這樣一副有趣對聯：

齊齊齋齊齊戒齊齊齋戒神恩廣大
朝朝朝朝朝拜朝朝朝拜功德無涯

❓ 考考你 這副對聯應當如何斷句？下聯各個「朝」字的讀音又是怎樣？

▲「齋」常含宗教意味，因而有「齋戒」一語。

吃肉的對與錯

一些素食者為了道德原因不吃肉類，因為他們認為動物與植物的一大不同之處，是動物有情緒、會受苦。至於植物，至少以我們暫時所知，它們似乎沒有甚麼情緒，也沒證據顯示它們會受苦。因此，為了不讓動物受苦，不少人決定茹素。但一些肉食者則反駁說，生物互相殺害和進食，根本就是大自然的一部分，例如獅子會吃斑馬、蜘蛛會吃昆蟲，當中談不上道德不道德。你贊同哪一方的說法呢？

▲為了不讓動物受苦，不少人決定茹素。

vegetarian和vegan

素食者，英文叫vegetarian（讀如vej-jut-AIR-ri-un）。此字的前部分源自vegetable，意思是蔬菜以至植物，而後部分-ian則常用作表示某類型的人；因此，vegetarian便是吃植物的人，亦即茹素者。至於連蛋奶都不吃不喝的純素者，英文叫vegan（讀如VEE-gun）。我們可以說：She has been a vegetarian/vegan for several years（她茹素/吃純素已有數年）。這兩個字也可用作形容詞，例如a vegetarian dish是一道素菜，又例如a vegan meal是一頓純素餐。

▲連蛋奶都不吃不喝的純素者，英文叫vegan。

小遊戲：下一隻是甚麼？

素食日其中一個目的是希望我們關愛眾生，喚起我們對身邊小動物的愛心。你能找出下面動物排列的規律，然後畫出下一隻動物是甚麼嗎？

小遊戲：小雞連連看

試試把下面的小雞連起來，看看是甚麼樣子吧！

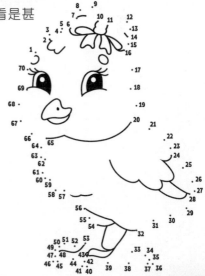

第三章

環境生態園

春暖花開

　　一年有十二個月，分為四季，第一個是春季，也叫春天。但究竟何月何日才是春天呢？原來答案並不簡單，至少有三個常見的計算方法。第一，以西方天文學來說，春天由春分開始，到夏至前一天結束；第二，根據中國農曆，春天由立春開始，即春分時春天已過了一半，而立夏前一天便是春季最後一天；第三，以平均氣溫來說，全年最熱的三個月是夏天，即香港的夏天是6月至8月，因此香港的春天便是3月至5月了。你喜歡哪一個計算方式呢？

英文教室 「大掃除」叫spring-clean

　　春天叫spring，前面常用介詞in，兩字中間有沒有冠詞the都可以，即in spring和in the spring都常見，例如「These roses bloom in spring/in the spring」，就是這些玫瑰在春天開花的意思。中國人在臨近歲晚有所謂「年廿八，洗邋遢」的習俗，而西方人同樣有「大掃除」的習慣，通常在春天，所以英文稱為spring-clean，也可叫spring-cleaning，例如「Let's give the whole flat a spring-clean/spring cleaning today」，即是我們今天給整個住宅單位大掃除的意思。

中文教室 含「春」的四字成語

　　經過嚴寒的冬天後，春天萬物甦醒，生氣勃勃，我們會說「春回大地」或「大地回春」。春天氣溫回暖，處處百花盛放，可用「春暖花開」、「春暖花香」來形容；而春天風光美麗動人，我們會說「春光明媚」。此外「春」字尚可引申指很多美好事物，例如醫師醫術高明，把病人治癒，我們會讚揚他「妙手回春」；一個人臉上充滿笑容，情態愉快，叫「春風滿面」；一個人做事順利，感到自豪，叫「春風得意」；而師長和藹親切，感化學生，則是「春風化雨」了。

▲醫師醫術高明，把病人治癒，我們會讚揚他「妙手回春」。

> **❓考考你**
> 謎語——春雨綿綿妻獨宿（猜一字）。
> 提示：「雨綿綿」，即看不見甚麼星體呢？「妻獨宿」，即沒有了哪個人呢？「春」字減去了這個星體和這個人，餘下是甚麼字呢？是否一字咁淺呢？

文學教室

春眠花落知多少

中國古人頌揚春天的詩歌多不勝數，其中一首是唐代詩人孟浩然的〈春曉〉，你也可能已背誦過：「春眠不覺曉，處處聞啼鳥。夜來風雨聲，花落知多少？」這首名詩的一大有趣和特別之處，是作者完全沒有描寫他看到甚麼——皆因他只是依靠聆聽和想像而已。首兩句說他在春天睡得甜，根本不知道天已亮了，醒來時聽到的，是到處的唧唧鳥語。末兩句描述他回想昨天聽到微風細雨的聲響，因而心中不禁問：不知有多少花兒被吹落了呢？作者完全沒有看到任何春天景象，但我們讀來，腦海中卻盡是滿溢生趣的春色呢。

▲「處處聞啼鳥」，意思為作者夢醒時聽到的，是到處的唧唧鳥語。

家政教室

炸春卷和燒春雞

你想到甚麼食物含有「春」字嗎？應該至少有炸春卷和燒春雞，兩者都很美味呢。但為何這兩款美食都有「春」字？原來兩者都跟春天有關。春卷是中國傳統民間小吃，做法是用麵粉製成薄皮，裏面以蔬菜和肉碎作餡料，捲成細長條，然後煎或炸而成；傳統上會在立春當天吃這種小食，祈求一家身體健康，因而叫「春」卷。至於春雞，其實即是食用的小雞，也常叫童子雞；燒春雞以前在春天才會供應，因而以「春」命名，儘管現在四季皆可吃到，名字卻沒變更呢。

▲傳統上會在立春當天吃這種小食，祈求一家身體健康，因而叫「春」卷。

小遊戲 ：拼詞全方位

試試在空格處各填上一個字，使這個字可分別與上下左右四個字組成一個詞語。

1.

2.

3.

4.

小遊戲 ：問答過三關

這個迷宮需要參加者成功回答所有問題才可通過，王子卻在途中被有關春天的問題難倒，大家能協助王子由起點走到終點，以及回答迷宮內的問題嗎？

1. 試列出兩個位於春天的節日。
2. 試列出兩首以春天為題材的唐詩。
3. 試列出兩個位於春天的節氣。

四季難分

　　大自然有春、夏、秋、冬四個季節，我們一向以為人體的活動也會順應一年四季而變化，中國傳統醫學更相信人體的健康跟四季共二十四節氣有關。但美國史丹福醫學院一位遺傳學教授最近的研究卻發現，其實我們的身體只能分辨出兩個季節，因而每年只會出現兩次較顯著的活動變化。不要以為這項研究沒有實際用途，原來它或可用來更有效預防某些與季節變化有關的疾病呢。

含「季」字的詞語

有不少詞語都含有「季」這個字，你認識它們嗎？

「季節」：一年按氣候畫分的時期，分為春季、夏季、秋季、冬季。

「雨季」：雨量特別多的季節，例如香港的春季和夏季。

「旺季」：某種商品售賣情況特別旺盛的時期。

「淡季」：跟「旺季」相反，指某種商品售賣情況特別慘淡的時期。

「球季」：某項球類運動的比賽時間，通常一年有一個球季。

中國二十四節氣

多數國家只按氣候把一年分為四個季節，但中國特別注重農業，每個季節再細分為六個節氣，中國曆法因而一年有二十四節氣。它們分別是：

（一）春季：立春、雨水、驚蟄、春分、清明、穀雨；

（二）夏季：立夏、小滿、芒種、夏至、小暑、大暑；

（三）秋季：立秋、處暑、白露、秋分、寒露、霜降；

（四）冬季：立冬、小雪、大雪、冬至、小寒、大寒。

春分

考考你 冬至在新曆哪個月份？

環境 生態園

科學教室 地球四季是由於軸綫傾斜

究竟地球為甚麼會出現四季？一個說法是地球距離太陽近時便是炎熱的夏季，距離太陽遠時便是寒冷的冬季。但這個說法是大錯特錯的！原因簡單：假若地球的冷暖真的是這個原因，為何同一時間南北半球會分別是夏季和冬季呢？原來地球四季是由於自轉的軸綫傾斜，令到同一時間可能北半球更接近太陽，而南半球更遠離太陽，半年後的情況則剛好倒轉過來，因而便產生了季節變化。

英文教室 「季節」叫season

「季節」的英文是season，讀音是SEE-sun。春季、夏季、秋季、冬季，分別叫spring、summer、autumn、winter；在美國，秋季也常叫作fall。旱季叫dry season，雨季可叫rainy season或wet season。香港有所謂打風季節、風季，英文叫monsoon season；當中的monsoon解作季候風，而其實單單monsoon一字已可指打風季節。至於商業上的旺季和淡季，則常分別叫作high season和low season。

小遊戲：季節大不同

　　即使同樣身處地球，每個地區都會因應各自在地球上的位置而經歷不同季節。假如現在是六月，大家知道以下這些國家會經歷甚麼季節呢？

澳洲

美國

德國

阿根廷

日本

南非

小遊戲：季節的別稱

　　中國古代對季節有很多不同的稱呼，試猜猜以下季節別稱是指哪一個季節：

三冬	清夏
芳春	金天

春季：

夏季：

秋季：

冬季：

植物過冬的智慧

　　天寒地凍，為了禦寒，人類會多穿保暖衣服，動物則有厚厚的毛皮，或以冬眠度過。但植物既不能穿衣又似乎沒有冬眠，它們是如何度過嚴寒的冬季？原來不同植物有不同的方法。例如冬天的植物會讓葉子脫落，把營養帶往枝條的細胞內，令細胞內的濃度增加，這樣細胞液便不易結冰。至於長年不落葉的常綠植物，它們的葉子細胞表皮很厚，而冬天時下皮的細胞氣孔又會關閉，因此便可保持溫暖兼防止水分流失了，植物是不是很聰明？

中文教室 「植」字可作名詞和動詞

　　「植」本是名詞，解作植物，亦即花草樹木的總稱。「植」也可用作動詞，解作栽種、培育等。你懂得以下含有「植」字的詞語嗎？

植樹：即種樹。每年的三月十二日，即國父孫中山先生的逝世紀念日，是中國的「植樹節」，有不少種樹活動紀念他。

移植：本指把植物移往另一個地
　　　方種植，現在也常指器官
　　　移植。

植物人：身體機能只餘下無意識
　　　　和非自願的部分，像植
　　　　物一樣沒有主動意識或
　　　　自願活動。

英文教室 「植物」是plant

　　「植物」的英文是plant，此字英國人會讀作PLAH-nt，但美國人則讀作PLAN-t。植物有很多部分，從底部數起，「根」是root，「莖」是stem，「葉」是leaf，「果實」是fruit，而「花蕾」則叫bud。此外「樹」是tree，「樹幹」是trunk，「樹枝」是branch，更細小的「小枝」叫twig。其他相關的字尚有：「草」是grass，「草地」是lawn，「樹林」是wood，更大的「森林」叫forest，而茂密的「叢林」則叫jungle。

> ❓ 考考你
> Plant尚可指一種人類的建築，它的近義詞是fact_____。

生物教室 光合作用維持全球生命

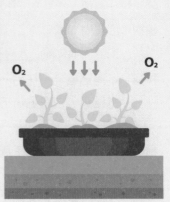

　　不少植物都是綠色的，主要是因為含有葉綠素，而這些植物大多依靠一個叫「光合作用」的重要化學反應來製造食物，因而不用像動物般吞食外來的動植物。光合作用中，在葉綠素和陽光這兩個條件都存在的情況下，二氧化碳和水會發生化學反應，變成糖分和氧氣。若地球沒有光合作用，便不會有食物製造出來，也不會有足夠氧氣；這樣，各種動物便會因缺乏食物和氧氣而無法生存。因此，光合作用對維持全球生命是極重要的。

考古教室 植物或已存在十億年

　　儘管植物的定義很複雜，而估算史前動植物的年代也不容易，但考古學家估計，我們現在所知的植物，可能早於十億年前已在地球上出現。最

▲科學家發現岩石中的地衣在6億年前已出現。

初存在的植物估計有兩類，一種是藍菌門，即我們常說的藍綠藻；另一種則較專門，是會進行光合作用的多細胞真核生物；它們生長在陸地上的淡水中。到了大約八億五千萬年前，較複雜的多細胞光合作用植物便出現。至於第一朵花，估計在大約二億年前在地球上出現。

小遊戲：植物真與假

頑皮的葉趣趣走進了植物園假扮植物，大家能找出園內的葉趣趣們嗎？

小遊戲：英文名配對

大家知道以下植物的英文名稱嗎？試將相應的英文名稱與植物連綫吧！

1. 　2. 　3. 　4. 　5.

Cactus　　Chrysanthemum　　Tulip　　Lotus　　Rose

▲有「蜻蜓天堂」美譽的大埔沙螺洞。

沙螺洞
蜻蜓天堂

　　大家有聽過「沙螺洞」這個地方嗎？環保團體「綠色力量」早前在這個淡水濕地發現了一種叫「闊裂葉羊蹄甲」的植物，是香港首次記錄得到，因而進一步確立了沙螺洞的保育價值。大家可能覺得「闊裂葉羊蹄甲」是個很艱深和專門的名字，但其實我們都很熟悉另一種「羊蹄甲」植物，那便是香港的市花——洋紫荊。所謂「闊裂葉羊蹄甲」，就是指這種羊蹄甲植物的葉子不但闊大，而且葉端裂開了。

「綠」代表環保

　　由於青草、樹葉等植物部分都是綠色，因此「綠」現在已成為了代表環保的顏色。例如本港一個著名環保團體便叫「綠色力量」，又例如香港政府在各區設立的廢物回收中心便叫「綠在區區」，當中有「綠在東區」、「綠在沙田」等等。至於全球一個很著名的環保團體，則叫「綠色和平」（Greenpeace），同樣以綠色代表環保。說得遠一點：上世紀五六十年代出現了一場「綠色革命」，目的是以先進科技來增加農產量。

考考你 Greenback與環保無關，而是指哪個國家的鈔票、紙幣？

「生態」叫ecology

　　談到環保（environmental protection），一個經常出現的詞語是「生態」，英文叫ecology，讀如ee-COLL-la-jee。例如「動物生態」是animal ecology，「植物生態」是plant ecology，「人類生態」是human ecology，「海洋生態」是marine ecology等等。生態十分脆弱，我們常用fragile一字來形容；這個英文字也常指「易碎的」，例如在裝載玻璃物品的紙箱表面，常見到fragile（易碎）和handle with care（小心處理）等字詞。

沙螺洞是重要保育區

環保教室

提到香港的保育區，不少人首先會想到新界元朗的米埔，該地區以候鳥和紅樹林而聞名；而沙螺洞同樣是香港境內的重要保育區，僅次於米埔。沙螺洞又名沙羅洞，最特別之處，在於它是全港唯一的淡水濕地，因而擁有很獨特的動植物生態。例如本港百餘種蜻蜓之中，便有七十餘種棲居在沙螺洞，該區因而有「蜻蜓天堂」的美譽；此外，香港有三成半的蝴蝶物種也棲居於沙螺洞。

香港市花並非紫荊花

文化教室

在沙螺洞發現的是一種羊蹄甲植物，而香港的市花——洋紫荊（下圖）——也是羊蹄甲屬。洋紫荊首先被發現的地方是在香港，因而用作代表香港是十分合適的。但留意洋紫荊並非紫荊花——洋紫荊屬於一種洋蹄甲植物，但紫荊花卻屬於一種紫荊植物，兩者根本不同類，只是名字相似

而已。令人更混淆的是，中港台三地所指的洋紫荊都不相同呢——內地的「洋紫荊」，香港叫「宮粉羊蹄甲」；台灣的「洋紫荊」，香港叫「紅花羊蹄甲」；而香港的「洋紫荊」，內地和台灣則分別叫作「紅花洋蹄甲」和「艷紫荊」呢！

小遊戲：保育區不速之客

　　沙螺洞和米埔等地都是香港的主要保育區，擁有豐富和獨特的動植物生態。大家能從下圖分辨出哪些並非香港保育區內的物種嗎？

小遊戲：棋盤問答挑戰

　　準備好骰子，齊來和朋友一起挑戰棋盤問答遊戲吧！玩家輪流擲骰決定步行格數，當踏進「機會」格子時，玩家須回答附設的問題，答對便可前進兩格，最快抵達終點者為之勝出。

機會4：試列出兩種米埔及內后海灣中的濕地生境。

機會3：試列出兩項不得在鶴嘴海岸保護區內進行的活動。

機會1：試列出兩種香港保育區常見的鳥類。

機會2：香港保育區常見的彈塗魚的英文名稱是甚麼？

生物滅絕危機

　　地球生物出現滅絕危機？一直關注地球生態環境的「世界自然基金會」發表研究報告，指出過去50年來，地球的野生動物消失了接近百分之七十！原來不只動物，連植物的滅絕速度也令人咋舌！究竟為何會這樣呢？報告指出，人類改變了土地用途，而氣候變化也愈來愈嚴重，兩者正改變全球的地貌，造成動植物的生物多樣性嚴重喪失。為了拯救地球上各種生物，大家都要積極採取實際的環保行動，盡力減少對環境生態的破壞啊！

英文教室

「野生動物」是wildlife

「野生動物」叫wildlife；當中的形容詞wild解作野生的、在野外生活的，即並沒給人類困在家中或動物園中的。雖然名詞life泛指生命，即包括動物和植物，而wildlife的中文有時也叫「野生生物」，但wildlife其實只指野生動物，並不包括野生植物。動物是animal，複數是animals；植物是plant，複數是plants。「動物界」，英文常說作the animal world或the animal kingdom。

> **？考考你**
> 解作「死亡」的常用英文字有三個：death、die、dead。它們哪個是動詞，哪個是名詞，哪個是形容詞？

中文教室

含「滅」的詞語

中文有不少含「滅」字的詞語，意思都是「消滅」、「毀滅」等。

（一）「滅絕」：毀滅斷絕、消滅至絕種。

例句：大量生物物種滅絕，會嚴重影響整個生態系統。

（二）「滅絕人性」：完全沒有人性，極端殘忍。

例句：這樣殺害無辜動物，只有滅絕人性的人才做得出。

（三）「自取滅亡」：做了一些事，導致自己滅絕、死亡。

例句：人類行為自私，破壞全球生態，無疑是自取滅亡。

環境生態園

生物教室

生物分類很細緻

　　地球上的生物數以千萬計，於是生物學家便把所有生物分類，而分類的方式比我們想像中嚴謹得多，從最高到最低的分類，依次叫作界、門、綱、目、科、屬、種。換言之，所有生物會分成不同的界；在同一界的生物，會分成不同的門；在同

一門的生物，又會分成不同的綱；依此類推，直到分成不同的種為止。以我們現代人類為例，我們是屬於：動物界，脊索動物門，哺乳綱，靈長目，人科，人屬，人種。

考古教室

過去五次大滅絕

　　考古學家指出，地球在過去46億年的歷史中，曾出現過5次大滅絕，發生的時間分別距離現在大約4億4,000萬年、3億6,000萬年、2億5,000萬

年、2億年，和6,600萬年。所謂大滅絕，是指在較短時間內，全球生物物種消失了百分之八十至九十。最著名的一次大滅絕是6,600萬年前的一次，那次導致恐龍絕種。現在，地球正經歷第6次生物大滅絕，而最大原因是人類肆無忌憚的破壞大自然。

小遊戲：香港受保護野生動物

香港的生態環境豐富，很多種類的野生動物都在此棲息繁衍，大家能從下圖圈出本港受保護的野生動物嗎？

| 穿山甲 | 水獺 | 家貓 |
| 白鴿 | 老鼠 | 箭豬 |

小遊戲：野生動物棲息地

野生動物會在適合生長和生活的自然環境棲息。試以以下動物作為起點開始往下走，遇到橫綫時須沿着橫綫走到隔壁的直綫，看看該野生動物的棲息地吧！

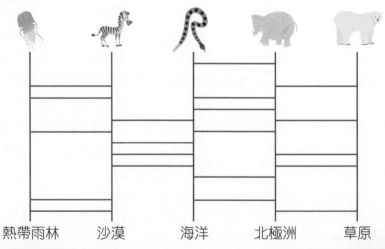

熱帶雨林　　沙漠　　海洋　　北極洲　　草原

百獸之王 老虎

　　老虎的學名只是「虎」，不過我們慣常在前面加上「老」字，令「百獸之王」叫起來更有威嚴。若從「虎」這個物種來看，牠又的確很「老」，根據已知的最早虎類動物化石推算，大約300萬年前，老虎已在新西伯利亞出沒；不過也有專家認為虎起源於200萬年前的中國河南，因為當地發現了中華虎化石。現代虎這個物種，下面共有九個亞種，但有三個已絕種，餘下的六個（東北虎、華南虎、印度支那虎、馬來亞虎、蘇門答臘虎、孟加拉虎）亦瀕臨滅絕，全球只剩不到四千餘隻。很多人以為老虎生活在非洲，其實野生虎只會在亞洲出現。因此，在現實世界中，獅子和老虎一起出現的情景，只能在動物園內看到。

「為虎作倀」幫壞人

中文有不少四字成語都含有「虎」字，例如「虎頭蛇尾」比喻做事有始無終；「騎虎難下」比喻事情迫於情勢，無法中止，只好繼續下去；「如虎添翼」比喻強大者又增添生力軍，使之更強大。另一個很有趣的四字成語是「為虎作倀」，這兒的「為」粵音讀作「胃」，而不是「維」。至於「倀」，粵音讀作「昌」，是傳說中被老虎咬死的人，他們做了鬼後又協助老虎傷人。「為虎作倀」因而比喻幫助惡人做壞事。

雌老虎叫tigress

我們大概都知道「老虎」的英文是tiger，讀如TAI-ga。「雄老虎」也可叫作tiger，若要清楚點可說male tiger，當中的male解作「雄性」。同樣道理，「雌老虎」可叫female tiger，當中的female解作「雌性」；此外「雌老虎」也常叫tigress，讀如TAI-gress。「幼老虎」慣常叫作cub或whelp。至於「一群」老虎，則會用名詞ambush或streak表示，即說作an ambush of tigers或a streak of tigers。

? 考考你 英文paper tiger或中文「紙老虎」比喻甚麼？

數學教室

老虎的食量

老虎的食量很大，平均每8至9天要獵食一隻鹿、山豬、羚羊等大型有蹄類的動物，也會吃兔、蛙、魚、雞等小動物當點心。如果一隻白老虎每天要吃29公斤的肉，相當於15隻雞。試計算白老虎一年共吃下多少公斤的肉？相當於多少隻雞？

考古教室

劍齒虎不是虎

有一種很著名的已絕種動物也有個「虎」字，那就是劍齒虎。從牠的名字，可指劍齒虎的牙齒像劍，指的是上排有兩隻像軍刀般的尖長犬齒，可長達20厘米，即使閉口仍能清楚看見。劍齒虎有很多種類（叫作

「屬」），牠們的生存年代最早是距今4,000萬年，而最近代的則在大約一萬年前才滅絕。有趣的是，雖然中文名字有個「虎」字，外形也跟老虎相似，但劍齒虎其實並非一種老虎，兩者甚至不算是近親呢。

小遊戲：虎口脫險

森林裏的老虎正追趕着陽光家族，大家能幫忙找出逃離森林的方法嗎？

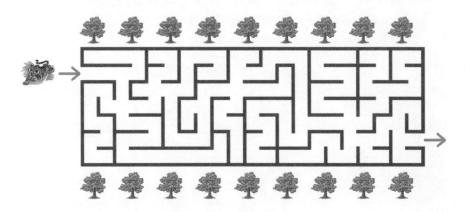

小遊戲：辨別貓科動物

莎因斯正在向同學講解貓科動物的特性，大家知道以下哪些不是貓科動物嗎？

古老的石頭

　　甚麼是化石？就只是一塊古老的石頭嗎？化石其實是指古時候的動植物遺體或遺迹在岩石中保存下來。例如20多年前，日本一名小學生曾在關東群馬縣發現一塊生物頭骨化石，近年證實是一種首次發現的史前海豚遺骸。這位小學生名叫中島一，而海豚屬於肯氏海豚科；因此，群馬縣自然史博物館便決定把這個新發現的物種叫作「中島肯氏海豚」呢！藏有這塊化石的地層，歷史可追溯到1,150萬年前，而這種海豚在數百萬年前已絕種。考古學家推斷，牠應該是現代鼠海豚的祖先。

巨岩與小石

說到石頭，你會想起哪個英文字呢？大概是stone吧。它常指不大不小的石頭。若比stone小一點，則常叫pebble，尤指圓滑的鵝卵石，即香港人說的石春。若比stone大一點，我們會叫rock；再大一點，就會叫boulder。

▲Lion Rock（獅子山）是香港最著名的rock。

大得多的，便是一座小山了，叫hill；若更高更大，便是一座高山，叫mountain。不過有時一大塊巨石，以至一座山都可能不叫boulder，也不叫hill或mountain，而是叫rock，尤其用於名字上。你知道香港最著名的rock是哪一座嗎？就是位於九龍塘和大圍之間，代表香港精神的獅子山——Lion Rock。

堅硬的石頭

石頭以堅硬見稱，中文便以此特點，創造出不少巧妙的四字成語。例如「鐵石心腸」，古時用作比喻一個人意志堅定，不為感情所動，本是讚美之語；不過它現在多含貶義，用作批評一個人冷酷無情。說到意志堅定，不能不提浪漫的「海枯石爛」，它本指海水枯乾、石頭破爛，比喻經歷很長的時間；現在多用作表示意志堅定，愛情永久不變。又例如「以卵擊石」，字面意思是以雞蛋撞擊石頭，實際含義是以弱攻強，不自量力，亦即「螳臂擋車」。

▲「海枯石爛」現在多用作表示意志堅定，愛情永久不變。

> **?**
> **考考你**
> 小明在山上走路，想前往青年旅舍。他來到一個分叉處，不知應向左還是向右走，於是向路邊茶店的老伯問路。老伯微笑不語，走到一塊石頭後面，然後把頭伸出來。你認為小明應向左還是向右走呢？為甚麼？

環境生態園

神話教室

煉石補蒼天

你聽過「女媧」嗎？她是中國神話中的人類始祖，有點像西方基督教傳說中的夏娃。相傳洪古時代，自然界發生了一場大災難，蒼天塌陷，洪水氾濫，猛獸四出。女媧憐憫蒼生與人類，於是煉製五色石，把蒼天修補，並用神鱉（海裏的大龜）的四足撐起天的四個角；又平定洪水、殺死猛獸，令人類再次安居樂業。清代小說家曹雪芹寫的著名小說《紅樓夢》，開首便述說女媧造了36,501塊石頭，最終只用了36,500塊補天，餘下的一塊頑石經過修煉後有了靈性，變成「通靈寶玉」，由書中男主角賈寶玉含在口中出生，《紅樓夢》因而也叫作《石頭記》。

考古教室

化石的年齡

當考古學家發現一塊化石時，一項重要任務是找出這塊化石的年齡。但他們是如何做到的呢？這個特別的技術叫「放射性定年法」。簡單點說，化石中有一些不穩定的化學元素，叫「放射性物質」，它們會放射出一些粒子，令自己變成穩定的物質；年代愈久，便放射得愈多。因此，年齡愈小的化石，不穩定的物質便愈多，而穩定的物質便愈少；相反，年齡愈大的化石，不穩定的物質便愈少，穩定的物質便愈多。只要找出化石中穩定物質和不穩定物質的比例，便可以計算出化石的年齡，亦即距離現在有多久了。

104

小遊戲：石字家族

「石」字只要添加一個字，就會變身成不同的漢字，大家能想像到哪些組合呢？

小遊戲：尋寶路綫找找看

陽光家族在一處偌大的廢棄石礦場裏尋找傳說中的巨型鑽石，大家可幫助陽光家族找出正確路綫，到達石礦場內的鑽石所在地嗎？

▲沙巴龍躉是人工飼養的經濟魚類。　　　　　　　(圖片來源：生態教育及資源中心)

放生沙巴龍躉

　　每年都有不少善信（對宗教有虔誠信仰的人）參與宗教放生活動，原意是希望將人類捕捉的動物放歸大自然，讓牠們重拾自由。不過不當的放生活動，卻會破壞生態平衡，甚至反而令放生的生物受苦。例如有人將雜食性魚類「沙巴龍躉」投進海中放生，這些經過基因改造雜交而成的經濟魚類，本來屬人工飼養，只會出現在海鮮酒家，一旦將牠們被放生到不同水域，便會大量進食本港水域魚類，造成生態失衡的災難。

香港海洋生態

香港水域面積不大，只佔南中國海不足1%，但海魚的種類卻佔南中國海水域的30%，有近一千種。香港海魚種類繁多，源於水域內有各色各樣的海

洋生境，包括底土層、岩岸、珊瑚礁和人工魚礁等，讓各種魚類棲息。

沙巴龍躉並不是香港的原生品種，而是由沙巴大學人工培殖、混合了龍躉及老虎斑兩種基因的品種。沙巴龍躉是一種雜食性魚類，會捕食大量本港水域的魚類，亦會與其他珊瑚魚「爭地盤」棲息，破壞海洋生態。

「躉」字意思及用法

只看「沙巴龍躉」中的「躉」字，大家未必知道其讀音（粵音：dan2），不過其實在日常對話中，常有機會使用「躉」字，例如我們會稱呼支持某項事物的人為「擁躉」，亦會以「打躉」形容人長時間逗留在同一地方。

「躉」字以往多應用在商業上，用以形容貨物的數量，例如「躉賣」是指將貨物整批或大批地賣出，而整數的貨物亦會稱為「躉」。

德育教室 善意「放生」反帶來傷害？

　　「放生」原是一種宗教行為，信徒認為拯救被人類捕捉的動物，讓牠們回歸大自然，是一種美德。可是這種帶有善意的行為，在誤用之下，可能會帶來反效果，令動物的居住地變成殺戮戰場。例如這一次外來魚種沙巴龍躉「入侵」本港水域，除了令大量細小魚類被吞食，亦會對本地魚類造成基因混亂，將來或會有更多「怪魚」在海鮮檔及酒樓出售，例如是以老鼠斑和龍躉雜交而成的「鼠王斑」。因此放生魚類，不止要考慮魚類價錢，亦要選擇合適地點、物種及數量等，免得「放生」變「殺生」。

數學教室 認識量度單位

　　龍躉又稱「鞍帶石斑魚」或「花尾躉」，是一種體形龐大的魚類，一般長度為1.9米，最長可達2.7米，最重可達400公斤。

　　以上對於龍躉的描述，運用了兩個量度單位，第一個是「米」，用以量度長度。由於1米等於100厘米，龍躉最大長度為2.7米，即等於270厘米。另一個是「公斤」，用以量度重量，例如一包米約有8公斤；重量較為輕的物件，則可用「克」來表達，例如一包糖果約重150克。

> ❓ 考考你
> 母后吩咐王子到街市，買一條最長最重的魚回家，作為今晚的晚餐，王子應該選哪一條魚？
>
> A. 長度：73厘米
> 　 重量：1.73公斤
>
> B. 長度：0.95米
> 　 重量：1,900克
>
> C. 長度：85厘米
> 　 重量：1,800克
>
> *提示：1米 = 100厘米；1公斤 = 1,000克

小遊戲：量詞配對

　　我們會使用量詞表示事物或動作的數量單位，例如一本書、一篇文章、一場比賽等。試以連綫來將量詞配上相應的事物吧！

1. 　　2. 　　3. 　　4. 　　5. 　　6.

●　　　　●　　　　●　　　　●　　　　●　　　　●

●　　　　●　　　　●　　　　●　　　　●　　　　●
張　　　　枝　　　　副　　　　塊　　　　條　　　　所

小遊戲：拯救放生動物

　　陽光家族發現有人在郊外放生五隻動物，於是趕忙到放生的地點尋回動物，大家能幫忙找出被放生的動物嗎？

第四章

社會
新奇事

辣椒發電 新秘方

　　由於傳統的化石燃料（包括石油、煤、天然氣等）日益短缺，而且造成環境污染，人類正不斷研究和開發環保能源，例如太陽能。一群科學家新近發現，原來在太陽能電池中加進辣椒中的主要成分——辣椒素，會令到電池中活性物質的顆粒膨脹；這樣，不但使更多太陽能轉化為電能，電能也會傳送得更快。這跟我們吃辣椒後感到舌頭灼熱和有點刺痛，可能是同一原理呢！

「辣」可指高溫或狠毒

「辣」固然常指一種味道，而由於辣味令人感到熾熱或不舒服，「辣」字因而可引申解作高溫、狠毒，以至艱辛等等。以下是一些例子。

（一）熱辣辣：形容溫度很高。

例句：「在寒冷的冬天，喝下一碗熱辣辣的菜湯，真令人舒暢！」

（二）毒辣：狠毒、殘忍。

例句：「探員檢查完死者的傷勢後，推斷兇手的手法十分毒辣。」

「椒」叫pepper

「椒」，不管是辣椒或是甜椒，統稱作pepper，複數是peppers。「辣椒」叫chilli pepper，或簡單叫作chilli已可以；留意chilli是英國人的拼法，而美國人則會拼作少一個l的chili。此外「辣椒」尚可叫作hot pepper。至於「甜椒」，可叫sweet pepper；而由於甜椒的外表像裝飾用

的鐘（bell），因而也常叫作bell pepper。若單單用pepper一字，則專指甜椒、燈籠椒，而不會指辣椒。

考考你　pepper可指甚麼調味料？

113

社會新奇事

植物
教室

「椒」可分辣椒與甜椒

一說到「椒」這種植物和食物，我們可能第一時間想到「辣」字，但其實椒可分為「辣椒」和「甜椒」兩種，名副其實「有辣有唔辣」。辣的椒自然叫作「辣椒」，外表一般呈圓錐形；當中最著名的大概是「指天椒」，也叫「朝天椒」，皆因它的果實是朝着天向上生長的。不辣的椒叫「甜椒」，亦即我們常吃的「燈籠椒」，顧名思義形狀像個燈籠；而由於它的形狀也像柿子，因而亦叫「柿子椒」。

文化
教室

「辣」其實並非味道

說起「辣」，我們自然認為它是一種味道；而且我們也可能知道有所謂「五味」，即甜、酸、苦、辣、鹹。然而，原來「辣」並非一種味道

呢。在味道的分類上，辣只是一種舌頭灼熱的感覺，因而根本算不上是一種味道。那是否表示其實只有四種味道呢？又不是。原來真的有五種味道，而第五種味道叫「鮮」味。甚麼是「鮮」味呢？那是在魚、肉等新鮮蛋白質中含有的獨特味道。

小遊戲：辛辣菜式

很多菜式都會用上辣椒來調味，試在以下圖片中選出辛辣的菜式，並在方格填上（✓）號。

麻婆豆腐 ☐　　　　冬陰功 ☐　　　　蘋果批 ☐

朱古力布朗尼 ☐　　周打蜆湯 ☐　　　炸魚薯條 ☐

小遊戲：火鍋裏的辣椒

頑皮的王子為了作弄不吃辣的家人，決定偷偷將辣椒放進火鍋裏。大家能幫忙圈出鍋裏的辣椒嗎？

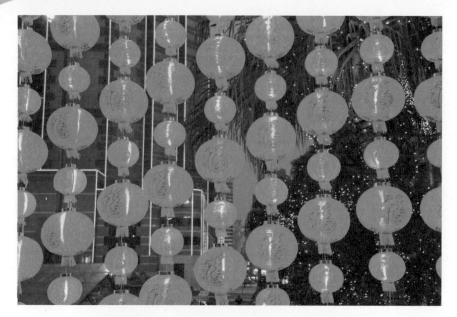

鑑貌辨色

　　提到中國傳統喜慶場合，大家大概會想到紅色，那簡直是標記。事實上，顏色真的可以登記為商標。商標是指商品或者服務的標誌，用來給顧客辨認，跟競爭對手區別開來。根據香港法例，顏色是可以登記為商標。比方說，花旗集團的紅色弧綫，就是香港註冊的商標。很多國際品牌的顏色，像Tiffany的藍色、UPS的啡色，都受商標註冊制度保護。那麼，這是不是表示，紅色、藍色、啡色就不能使用呢？當然不是，你和我都可隨便使用這些顏色，因為我們不是有關品牌的競爭對手，不會受到限制。

世上最早彩色影片

目前所知最早的彩色影片，由英國攝影師愛德華（Edward Turner）在1902年拍攝。當時他拍了倫敦的街景，和一隻金剛鸚鵡跟他三個孩子在家裏後花園玩金魚。可惜愛德華在第二年去世了，而他的方法一直被視為是失敗的——愛德華分別使用紅色、藍色、綠色濾鏡拍攝短片，然後在投影時把三條片段重疊起來。但由於結合的影像太模糊，大家都認為不可行。直至近年專家利用數碼科技把三條片段對齊，大家才發現愛德華的方法是行得通的。於是愛德華的影片終獲正視，被認定為是最早的彩色影片。

▲英國攝影師愛德華以紅、藍、綠色濾鏡拍攝的短片，被認定為最早的彩色影片。
（圖片來源：National Media Museum）

❓ 考考你 小黑貓是黑色，小白貓是白色，那小熊貓是甚麼顏色？

神奇色盲眼鏡

我們為甚麼能看到色彩？大部分人的眼睛都有三種感光細胞，稱為視錐細胞，分別對紅色、藍色、綠色有反應。紅、綠色視錐細胞有一小部分是「重疊」的，會同時對某個範圍的光產生反應。只要視錐細胞能正常運作，就能看到各種顏色。不過，有些人的視錐細胞卻有毛病，形成了色盲。色盲病人大多是紅、綠色視錐細胞出問題，兩者「重疊」的部分比正常人多，因而引起色彩的混淆。早幾年有公司推出能糾正色盲的眼鏡正是針對這一點，採用特殊的技術，藉着過濾光綫，改善「重疊」的問題。所以這種眼鏡只是令色盲病人比較能分辨顏色，而不是根治病症。

▲用作檢查色盲及色弱的圖片。

英文教室

不同的colour

英文colour有幾個解釋。其一大家應該都知道，指紅、藍、黃、綠等顏色；其二與中文「臉色」相近，指臉上的血色，一般表示良好的健康狀況，或尷尬、興奮等情緒。像She has a high colour，解作「她有紅潤的臉色」；其三代表種族，people of colour是「有色人種」。值得注意的是，colour是英式英文。美式會把u省略掉，寫成color。

▲ 「She has a high colour」，解作有紅潤的臉色。

文化教室

女媧採石補天

傳說遠古時代天空曾破了一個洞，因而引發種種災難，包括森林大火、洪水氾濫。看着人類飽受摧殘，創造者女媧不忍心，於是出手拯救大

眾。她找了大量五色石頭，燒成糊狀，用來填補天上的破洞；又收集了森林大火的灰燼，堆成堤壩抵擋洪水。女媧憑着努力，把災禍一個一個解決掉，最後讓人類回復和平的生活。

小遊戲：讀出真本色！

下面的字和顏色是不對應的，大家可以順利把文字的「本色」讀出來嗎？

紫	黑	紅	藍
黃	白	橙	綠

討厭，真難讀！

小遊戲：影中尋物

五顏六色的東西實在吸引眼球，但如果變成了影子一樣的黑色，你又能成功辨認它們嗎？試試把屬於它們的影子圈出來。

等我用我的金睛火眼看清楚！

抽絲剝橙

　　平日吃橙時，大家可有留意橙上的標籤印了不同的「神秘」號碼呢？它們其實代表橙的品種、大小。香港入口的橙多半來自美國，而美國水果商採用了名為PLU的編號系統，來分辨水果的種類、大小。香港人吃的橙主要是兩個品種——蜜篤橙和石榴篤橙。蜜篤橙在春夏季出產，代表編號是4388、3108、4014。4388是大碼橙，3108是中碼橙，4014是細碼橙；而石榴篤橙在秋冬季出產，代表編號是4012（大碼）、3107（中碼）、4013（細碼）。下次再看到這些編號，不妨跟爸爸媽媽說明它們有甚麼意思。

感冒良方？

橙含有豐富的維他命C，而大家常常說，維他命C有助預防感冒，但事實上這不完全是對的。美國哈佛大學曾經進行研究，發現每天攝取大量維他命C的確有減低患上感冒的迹象，不過只有經常鍛煉的人才有效，像馬拉松選手、軍人等。若是一般人服用，並沒有明顯的作用。雖然如此，研究也顯示，服用維他命C能縮短感冒病發的時間，令症狀早點消失。所以最好還是有均衡的飲食，每天吸收足夠的維他命C呢。

柑橘家族

誰都知道，橙、檸檬等水果是「親戚」，屬於同一個「家族」——柑橘類。不過，它們確實的關係，恐怕沒有多少人了解。早幾年，科學家藉着研究柑橘類的基因，描繪了它們的「家族表」。出乎意料地，柑橘類的祖先很少，只有枸櫞、沙田柚、柑等。它們原本生於東南亞，後來才給人類帶到其他地方。在種植的過程中，人類將這些植物交叉繁殖，逐漸得

出現在我們吃到的各種柑橘類水果。以下就是部分柑橘類的關係表：

枸櫞後代：青檸、檸檬

柑後代：甜橙、西柚、酸橙

沙田柚後代： 西柚、甜橙、酸橙、檸檬

歷史教室

美國橙汁曾參戰

今天我們隨隨便便就能喝到冷凍濃縮橙汁，但背後其實有一段不簡單的歷史。自上世紀三十年代起，美國橙農已想製作類似的產品，將橙汁注入罐中，冷凍起來，再送去美國中部地區。問題是，那些橙汁因為化學作用的關係，很快就失去應有的味道，變成褐色、難喝的液體。直至第二次世界大戰爆發，軍方為了讓軍人吸收充足的維他命C，因此投入大量金錢研究，問題才解決過來。研究人員發明了一種技術，令橙汁在低溫之下揮發，變成能夠保存的濃縮橙汁。從此以後，就算是城市裏的人，也能嘗到美味的橙汁產品。

考考你 一杯滿滿的橙汁，怎樣能在不碰杯子的情況下，喝到最底的橙汁呢？

中文教室

橙子、橘子、蘆柑

橙、桔只是廣東話的稱呼，在國語中，這些水果都有別的叫法。「橙」的變化不大，國語叫「橙子」，或者「廣柑」（早期的叫法）；「桔」則是叫「橘子」，著名散文《背影》中父親買的就是橘子。至於我

們口中的「柑」，國語稱為「蘆柑」；而過年我們在家裏擺放的「桔仔」，國語是「金橘」。最後順帶一提，香港俗語有「請某某食凍柑」的說法，那是將冰冷的手貼在對方身上的意思，跟吃一點關係也沒有呢。

小遊戲：抽絲「掹」橙！

試試在紛亂的綫條中，找出寶珠公主最喜愛的水果。

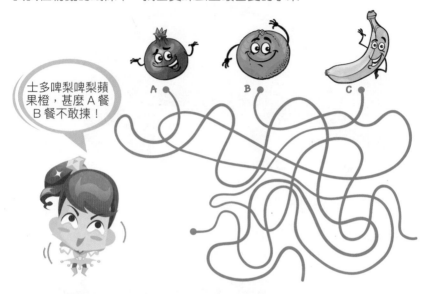

小遊戲：水果找不同

除了橙之外，多吃水果也是有益的，試試在下面兩張水果圖片中，找出七個不同的地方。

▲Adalatherium hui骨骼復原示意圖。
(圖片來源：Andrey Atuchin / Denver Museum of Nature & Science)

遠古野生動物

　　雖然我們沒有見過遠古生物，但大概會想起恐龍吧？不錯，但除了這種大家都很熟悉的有趣動物外，遠古時代尚有很多奇特的動物，而很多尚未被人類發現。就像近年，考古學家便在馬達加斯加發現了一個6,600萬年前的完整化石，屬於一個叫Adalatherium hui的動物物種，第一個字解作「瘋狂的野獸」呢。牠的構造跟科學家認識當時的哺乳動物十分不同，因而是個重大發現。

獸有四腳和毛

中文的「獸」，是指有四隻腳和全身有毛的動物；它經常與鳥相對，而鳥則是有兩隻腳和全身有羽毛。所謂「野獸」，是指在野生環境中生活，而並非由人類飼養和繁殖的獸類。中國人傳統上會把獅子叫作「百獸之王」以至「萬獸之王」，即是指這種動物是各種野獸之中最兇猛的。有趣的是，中國根本沒有野生獅子，只有野生老虎，而且不少人認為老虎比獅子更兇猛呢。

「野獸」是beast

你大概知道有一個故事叫《美女與野獸》，英文叫Beauty and the Beast。不難猜到，「野獸」的英文就是beast，讀如BEE-st。要強調是野生的、兇猛的，可說wild beast或savage beast，當中的wild解作野生的，

savage解作兇猛的。捕殺獵物的猛獸（例如獅子、老虎）常叫作beast of prey，當中的prey解作獵物；而須做苦工的動物則常叫作beast of burden，當中的burden解作重擔。

考古教室

恐龍大滅絕

　　今次發現的完整化石距今6,600萬年，而這是一個很重要的考古時間。原來正正在6,600萬年前，地球出現了一次俗稱「恐龍大滅絕」的重大天災。考古學家一般估計，當時有一個巨型隕石撞向地球，導致大多數動植物都滅絕，當中包括了曾經雄霸地球的恐龍。這是地球史上第五次也是最後一次大規模物種滅絕事件，而由於發生在中生代的白堊紀與新生代的古近紀之間，因而也叫作「白堊紀——古近紀滅絕事件」。

地理教室

世界第二大島國

　　馬達加斯加位於非洲大陸的東南端，是個巨大的島嶼。事實上，它是世界上第二大的島國，也是第四大的島嶼。在考古學上，馬達加斯加是個充滿寶藏的大島，主要原因是它在8,800萬年前已跟主大陸（叫印度次大陸）分離，因而很多動植物物種都獨立演化，以適應該島的獨特環境，故此有很多其他地方都沒有的物種。

▲馬達加斯加西部城市穆隆達瓦以北20公里的猴麵包樹大道。

> **❓ 考考你**
> 世界上第一大島國是哪個國家？最大島嶼的首三位又是哪三個島？

小遊戲：吼！帶眼識龍！

王子和寶珠公主去了侏羅紀公園，你可以認出他們看到的恐龍是甚麼品種嗎？試把下面的恐龍與牠們的名字連起來。

三角龍

梁龍

霸王龍

南方巨獸龍

霸王龍的咬合力達35,000牛頓，而人類只有約350牛頓！

小遊戲：恐龍大比「拼」

試試把下面的拼圖配對，把對應的英文字母寫在空格，看看能否拼出完整的恐龍！

拼出來之後，會不會跑出來吃掉我？

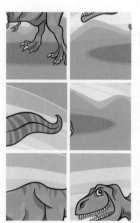

羅馬式建築

　　香港和羅馬有甚麼關係？我們至少最近發現到一點：香港居然有一個古羅馬式的地底配水庫呢！這座建築物位於九龍深水埗主教山，由於配水庫在地底，因而一直沒被發現。直到水務署在2020年12月重修主教山上的食水減壓缸時，工作人員掀開頂蓋，發現下面遮蓋部分露出一些古舊石柱和拱門，而裏面一些水管刻有「1909」的年份字樣，這個險被清拆的戰前古迹，才得以保留下來，古物諮詢委員會的專家後來將這個古羅馬式建築風格的配水庫，評定為一級歷史建築。

輝煌的羅馬帝國

　　西方歷史上曾經有一個以「羅馬」命名的輝煌帝國，那就是羅馬帝國；如此命名，一來由於她的首都在羅馬這個城市，二來也因為她演變自羅馬共和國。公元前44年，羅馬共和國的凱撒成為了終身獨裁官，宣告了共和國的結束；直到公元前27年奧古斯都稱帝，羅馬帝國正式成立，並雄霸了一千多年，最強盛時期的人口佔全球百分之二十。羅馬帝國對現今世界都極具影響力呢。

▲羅馬帝國第一任皇帝奧古斯都。

「永恒之城」羅馬

　　羅馬這個古城不但歷史悠久，而且由創立到現在都是世界上很重要的城市，因而贏得了「永恒之城」的美譽，象徵它永遠屹立不倒。羅馬曾是古羅馬帝國的首都，因而有大量古迹，而它也是現今意大利的首都。它同時是天主教的全球中心，歷代教宗會自動成為羅馬教區的主教。更有趣的是，全球最細小國家——梵蒂岡，不但是教宗的居住地，更四方八面完全給羅馬城包圍着。

❓
考考你　「羅」字和「馬」字的部首分別是甚麼？

「羅馬非一天建成」

「羅馬」的英文名字是Rome，而「羅馬帝國」則叫Roman Empire，當中的Roman是Rome的形容詞，解作「羅馬的」，也可用作名詞，指「羅馬人」，而Empire則解作帝國。西諺有云Rome wasn't built in a day，字面意思是「羅馬非一天建成」，實際意思是「大事不能一蹴而就」。另有一個含Rome的英文成語when in Rome, do as the Romans do，字面意思是「在羅馬，遵循羅馬人行事」，實際意思相當於中文的「入鄉隨俗」。

水庫用途很廣泛

水庫，即是貯存水的地方，它的用途十分廣泛。首先，水庫最明顯的用處是供水，即把清水貯藏起來，遇到乾旱或不時之需，便拿出來作家居和工業之用。此外，水庫也常用作灌溉農作物，甚至用作水力發電。另一方面，水庫有一個未必是最基本的用途，那就是旅遊觀光：很少水庫是專門為了吸引遊客而興建的，但由於水庫不少都是湖光山色，因而是美麗景點，故成為了旅遊勝地呢。

小遊戲：條條大路通羅馬

哪一條路能去羅馬呢？

有句話叫「條條大路通羅馬」，到底是不是真的呢？王子決定親自驗證一下，到底走哪一條路才能到羅馬呢？

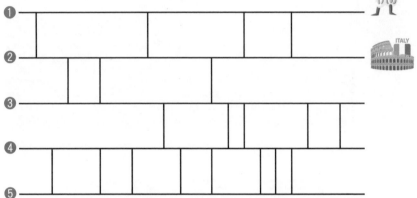

小遊戲：腦力「配水」杯

主教山配水庫是香港少見的羅馬式建築，王子今次想考考大家，玩玩「配水」遊戲。下面有六隻水杯，只有左邊三隻杯中有水，你只能移動一個杯子，然後要把空杯和水杯梅花間竹地排列。

很簡單吧？

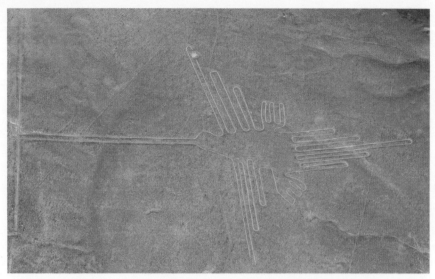

▲秘魯納斯卡地畫。 　　　　　(圖片來源：Diego Delso / Wikimedia Commons)

地畫不思議

　　秘魯納斯卡沙漠的巨大地畫，一直是考古學家希望解開的謎團。近年美國和秘魯的考古學家利用高清航拍機，在納斯卡沙漠發現了五十幅新的地畫，推測是屬於公元前500年至公元前200年的帕拉加斯和托帕拉早期文化。納斯卡地畫主要繪畫動物、魚類和鳥類，新發現的新地畫還有人類圖形，考古學家相信這些新地畫反映納斯卡人的文化傳承，甚至有人認為它們是外星人留下的標記。

沙漠不只有沙

地球上有三分之一陸地是沙漠。從遠處看來，沙漠是連綿不盡的沙土，由於水很少，給人一種荒涼、沒有生命的感覺，所以又稱「荒漠」。不過沙漠除了沙土之外，其實還有不少動植物隱藏其中，例如有毒蠍子、毒蛇、變色龍、蜥蜴、甚至是獅子，不少動物為了躲避沙漠的高溫，到了晚上才出來活動和獵食。沙漠地區的降雨量很少，全年只有250毫米以下，有些沙漠地區更可少至10毫米以下。沙漠地區的蒸發量很大，空氣中的水分很快就被高溫蒸發，相對濕度可低至5%。

納斯卡是甚麼地方？

納斯卡是秘魯西南部一個被沙漠環繞的小鎮，人口只有23,000人，因沙漠上的神秘地畫而聞名世界，每年吸引數以萬計的遊客前來觀光。納斯卡沙漠是一座高度乾燥，延伸80多公里的高原，沙漠上有數以千計的神秘圖案，大多線條簡單，圖案面積由30米到接近1公里都有，因為面積太大，直到1939年有飛機經過上空才發現。遊客需要乘坐小型飛機從高空俯瞰才能看到地畫。

▲納斯卡沙漠的神秘地畫吸引不少觀光客遠道而來。

社會新奇事

英數教室

甚麼是「公元前」？

納斯卡的地畫估計在公元前500年已經存在，可是「公元前」是甚麼意思？公元是一種記錄年份的方式，英文稱為Common Era，縮寫是「C.E.」，源於西方的基督教信仰，以耶穌出生為紀年的開始。例如今年是2022年，意思是耶穌出生之後的第二千零二十二個年頭。耶穌出生前的年份，因此就被記錄為「公元前」，英文稱為Before Common Era，縮寫是用「B.C.E.」代表，或只寫作「B.C.」。

考考你 公元前500年，意思是距離現在(2022)多少年？

文化教室

秘魯的印加文化

印加帝國是11世紀至16世紀位於南美洲的古老帝國，當時印加人（印第安人的一支）入侵秘魯，同時將古印加文化帶到此地。當時印加帝國在天文、曆法、醫藥、建築、數學、機械、農業和文化等方面，都已發展出高度文明的水平。例如印加人有自己的曆法，他們信奉太陽神，所以曆法也是太陽曆，把每年分為12個月，每月30日，每星期10天，每月3星期，每年加5日，每4年再加1日。印加帝國將獨特的印加文化帶到秘魯，令秘魯古代文明達到頂峰，所以至今秘魯仍十分推崇印加文化。

小遊戲：神秘三角地畫

王子看完地球的地畫後，發現自己的星球竟也有類似的神秘圖案，你可以幫他解開謎題嗎？試試數出圖中有多少個三角形。

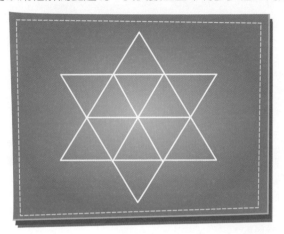

難道是外星人的傑作？噢……我也是外星人。

小遊戲：深入三角基地

王子發現在沙漠中有一個神秘基地，你可以穿過迷宮，進入內部嗎？

這個基地看起來十分可疑！

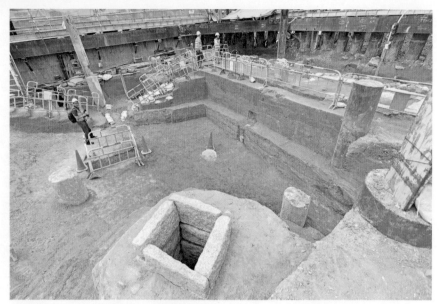

▲港鐵沙中綫地盤內宋元古迹遺址。

香港考古

　　考古學家被荷里活電影神化了，當中的主角總是到機關重重的藏寶之地探險，發掘出驚天動地的古董。原來香港也是一個考古研究的重地，不過，真正的考古工作不是盜墓和尋寶，而是通過科學方法的發掘，從地下一層一層的找尋古代人類的生活痕迹，研究他們的社會關係和經濟活動，藉此了解今天我們居住地方的歷史和文化傳承。香港考古在1920年左右開始，期間發掘出不少重要文物，目前具有價值的考古地點共有200多個。

甚麼是考古學？

考古學（Archaeology）源自古希臘文archaia（古物）和logos（理論式科學），意思是對古代研究的學問，19世紀的歐洲經濟與藝術活動非常繁盛，人們對過去的好奇和興趣大增，加上各種科技和科學理論的進步，有助對歷史進行發掘和勘探，考古學得以全面發展，成為一門獨特的學問，也吸引當時很多有識之士、探險家參與。20世紀初，英國人在埃及挖掘圖坦卡門陵墓，找出木乃伊和數千件寶物，轟動一時。1974年，陝西發現兵馬俑碎片，國家組織考古隊進行深入掘挖，終於發現這個代表中國輝煌文明的秦始皇兵馬俑遺址。

▲秦始皇陵兵馬俑，被譽為「二十世紀最偉大的考古發現之一」。

最早香港居民：舊石器時代

過去的考古工作評估香港的歷史約可追溯至6,000年前，即是新石器時代，已經有人在香港居住，在多個離島沿岸地區，考古隊伍發掘出用手打製、磨製的石器和陶器，反映先民是過着漁獵生活。

▲國家文物局專家組成員張森水（左二）教授說，黃地峒遺址是近二十年來東南亞沿海的史前考古重大發現。

2006年，考古隊在西貢黃地峒發現一個舊石器時代的石器製場，出土數千件文物，這個發現令香港歷史一下推前了三萬多年。更重要的是，從目前考古成果推測，香港的嶺南一帶地區在中華民族的歷史地位，要比想像中更高，有可能是華人和文化的發源地，相關研究繼續進行，是為目前中國考古重要課題之一。

社會新奇事

保護香港文物人人有責

中國有句俗語：「地上執到寶，問天問地攞不到」，意思是你在地上找到寶物，那件寶物就是屬於你的；其實，這是大錯特錯，甚至誤導人去犯罪。據香港法例，任何市民在地上拾獲古物或懷疑是古物，都要盡快與古蹟辦事處聯絡。考古工作也不是任何人憑興趣去參與，有規定進行挖掘及搜尋古物前，必須先取得「挖掘及搜尋古物」牌照，原因一是考古發掘工作有潛在危險，須受過訓練；二是不合資格者擅自發掘文物，可能會對遺迹及相關東西造成破壞。

▲考古發掘工作有潛在危險，須受過專業訓練。

本地考古景點好去處

香港的法定古迹有129項之多，包括了歷史建築、古代遺址、文物館等，其中最著名的是李鄭屋古墓。1955年建築工人在平整地盤，興建李鄭屋邨時，發現一座東漢期間的古墓，距今2000多年；這個古墓現在已闢作漢墓博物館，開放與市民參觀。另外，大埔碗窰是香港發現唯一的清花瓷窰址，原來大埔當年的水源豐富，又有優質的瓷土礦，所以成為青花瓷器這種貴重奢侈品的製造中心。中文大學曾在這處進行考古研究，現建成展覽館，成為熱門的郊遊景點。

❓考考你 李鄭屋漢墓位於香港18區中哪一區？

▲位於李鄭屋邨的漢墓博物館。

小遊戲：工欲善其事，必先「認」其器

提到考古學，怎麼可以不說說考古時候常用的工具，試試把下面的考古工具和它們的名字配對起來。

1. 2. 3. 4. 5. 6. 7. 8.

A.平頭手鏟　B.刷子　C.相機　D.放大鏡　E.鎚　F.銼刀　G.十字鎬　H.尖頭手鏟

小遊戲：考眼力找不同

要成為出色的考古學家，細心和良好的觀察力是必不可少的，看看右面兩張圖片，找出五個不同之處。

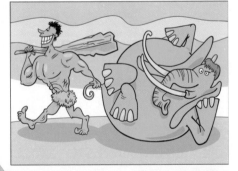

魚樂無窮

　　下雨大家肯定都看過，但下「魚」又有看過嗎？別以為這種事只會在幻想故事發生。事實上，每隔一段時間，美國猶他州的山上就會出現下魚奇景。不過這跟魔法無關，而是政府派飛機把魚投放到山上的湖裏去。這個措施是為了補充湖裏的魚，因為遊人經常會上山釣魚。人為補充湖魚其實有很長的歷史，幾個世紀以來，美國人都會用馬來運魚。但到了上世紀50年代，他們開始轉用飛機，因為飛機比馬更安全、更有效率。一些人可能有疑問，從這麼高掉下去，那些魚會有事嗎？這個可以放心，由於飛機投放的魚都很小（不會超過8厘米），牠們絕大部分都可以存活下來。

魚只有三秒記憶嗎？

事實當然不是如此。這種滑溜溜的生物不但擁有長期的記憶，某方面甚至跟猿猴一樣聰明。1994年，有研究人員訓練金魚工作，在一天中指定某個小時推動槓桿，成功的話就有獎勵。結果那些金魚可以做到，證明牠們有注意時間、學習跟記憶事情等能力，一些魚甚至能夠在長時間後回憶事情的細節。2001年，一項研究指出彩虹魚可以記住逃避危險的路綫長達11個月。魚絕對不像電影《海底奇兵》裏的多莉那麼糊塗呢。

❓ 考考你　漁獲豐富，猜一人名。

鯛魚燒不是燒鯛魚

日本有種甜點叫「鯛魚燒」，具有百年歷史。那是外形是鯛魚的紅豆餡餅，做法是在麵粉糊中注入紅豆餡，再製成鯛魚的形狀。為甚麼當時的日本人要把紅豆餡餅做成鯛魚形狀呢？原來日本有在喜慶、祈福時吃鯛魚的習慣，只是從前鯛魚是高級的菜式，一般人未必可以吃得起。一些平民於是將紅豆餅弄成鯛魚的樣子，代替真正的鯛魚。結果鯛魚燒成了大受歡迎的食物，流行至今。

英文教室

可疑的魚腥

英文有Fishy一字，用來形容事物。這個字有兩個意思，一是與魚有關的、相似的，例如「這東西有魚腥味」，你可以說It smells fishy。第二個意思是看似不誠實的、錯誤的、可疑的，像「事情有點可疑」，你可以說There is something fishy going on，或者「這個解釋感覺可疑」，可以說The explanation smells fishy。有趣的是，中文的「疑」卻是跟另一種動物有關。金文（古代一種刻在青銅器上的文字）裏有些版本的「疑」字是從「牛」字旁的。

▲Fishy可解作看似不誠實的、可疑的。

中文教室

魚快樂嗎？

中國戰國時期，兩大哲學家莊子、惠子曾經為魚展開辯論，至今仍然為人津津樂道。當時他們在一條河上的橋遊玩，莊子發表感想說：「河裏的魚游得多麼悠閒自在，這就是魚兒的快樂。」惠子立刻反駁他：「你不是魚，怎麼知道魚的快樂？」然後莊子說：「你不是我，怎麼知道我不知道魚兒的快樂？」然後惠子說：「我不是你，固然不知道你的想法；同一道理，你也不是魚，所以不會知道魚的快樂。」然後莊子說：「還是回到你最初的問題吧。你剛才問我『你怎麼知道魚的快樂』，說明你已經知道我知道魚的快樂，而我是在橋上感受到的。」

▼哲學家莊子、惠子曾經為魚是否快樂展開辯論。

你認為哪一方比較有道理呢？

小遊戲：到水族館參觀

　　陽光家族都很喜歡魚類和其他海洋生物，於是決定一同到水族館參觀，不過他們卻走錯了路，到底最後誰可最先抵達水族館？

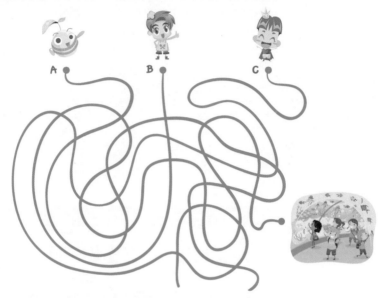

小遊戲：眾裏尋魚

　　眾人到達水族館後，發現很多海洋生物都以「魚」命名，使他們難以分辨哪些才是真正的魚類，大家能從以下的海洋生物中圈出魚類嗎？

娃娃魚

鯨魚

魷魚

鯊魚

海馬

螞蟻趣聞

　　螞蟻是一種很常見的生物，而且蟻種繁多，科學家估計世上有超過20,000個螞蟻物種。而香港雖是彈丸之地，螞蟻物種也多達187個，單單在過去數年已發現了13個新物種。這些「發現」主要是依靠香港大學生物科學學院研究團隊的努力。不過有些在香港發現的所謂「新」物種，其實並非新發現，只是過去只在外國出現，最近才在本港被發現而已。例如曾經在紅磡發現的新蟻種「巴塔哥尼亞短蟻」，便是美國廣為人知的害蟲，牠們會入侵建築物築巢，並相信是通過飛機或輪船「移民」到香港。

蟻群分工合作

蟻蟻是一種高度社會性的動物，分為多個明顯的階級，各自負責不同工作。蟻蟻粗略可分為四大類——三種是雌性，一種是雄性。首先是「蟻后」，牠是蟻群中體積最大的蟻蟻，專門負責生育。其次是唯一的雄性——「雄蟻」，他們負責與蟻后交配，可惜牠們交配後便會死去。至於餘下的兩類，牠們都是雌性，負責的都是勞碌的工作，其中一種是負責搜尋食物和照顧幼雛的「工蟻」，而另一種是負責抵禦外敵的「兵蟻」。

▲「蟻后」是蟻群中體積最大的蟻蟻，專門負責生育。

❓ 考考你 有些動物專門吃蟻，我們較熟悉的有兩種。一種是「食蟻獸」，另一種叫「穿」甚麼呢？

螻蟻尚且偷生

蟻蟻一向被視為頗低賤的生物，因為牠們體積細小，抵抗力也不強，我們輕易就可以把牠們踏死。然而，牠們一直很努力地活着呢。因此，中文有一句成語：「螻蟻尚且偷生」，也可說作「螻蟻尚且貪生」。當中的「螻」指螻蛄（粵音「樓姑」），是一種外形像蟋蟀的昆蟲。「螻蟻尚且偷生」，是指連螻蛄和蟻蟻這麼卑微的生物都努力地活着、愛惜自己的生命，我們人類身為萬物之靈，不是應當更加自強不息，愛惜生命嗎？

▲雖然蟻蟻體積細小，但牠們一直都很努力地活着。

社會新奇事

英文教室

螞蟻在褲子內

一隻螞蟻在你的臂上或腿上走動，可能已令你感到痕癢難耐；若是一群螞蟻在你的褲子內亂竄，你一定會感到很不舒服、很不自在。英文因而有句成語叫have ants in your pants（螞蟻在你褲子內），解作坐立不安、心煩氣躁。例如：What's the matter with you － have you got ants in your pants（你發生了甚麼事——你褲子裏有螞蟻嗎）？中文有一句有點相似的成語，都是與螞蟻有關，同樣解作坐立不安、手足無措，那就是：急得像熱鍋上的螞蟻。

▲「Have ants in your pants」，解作坐立不安、心煩氣躁。

飲食教室

假螞蟻與真螞蟻

你會否覺得吃螞蟻很惡心？但中國菜不是有一道叫「螞蟻上樹」嗎？不過這道菜其實並沒有真的螞蟻，主要材料只是乾粉絲和免治豬肉而已，再加上辣豆瓣醬、蒜頭、葱花、芝麻等配料，便變出這道看似一群螞蟻正在爬到樹上的菜式。但是，其他國家的確有不少人吃真螞蟻呢！例如泰國會把一種「編織蟻」的成蟲、幼蟲和卵做沙律，而哥倫比亞也吃「炸螞蟻」。此外，墨西哥更有名菜「飛螞蟻」，原來是螞蟻卵；而且價錢還十分高昂，每千克售價高達700港元。

▲「螞蟻上樹」其實並沒有真的螞蟻，主要材料只有乾粉絲和免治豬肉而已。

小遊戲：蟲字旁的昆蟲

大家留意到螞蟻的名字是由兩個蟲部的字組成嗎？試列舉同樣由兩個蟲部的字組成名字的昆蟲吧。

虫	虫

虫	虫

虫	虫

虫	虫

小遊戲：大自然食物鏈

在大自然裏，多數生物會通過進食另一種生物以獲取營養，形成一條稱為食物鏈的關係。大家能為以下的生物排列食物鏈嗎？

1.

螞蟻

水果

食蟻獸

_____ 進食 ⟶ _____ 進食 ⟶ _____

2.

大白鯊

浮游生物

魚

_____ 進食 ⟶ _____ 進食 ⟶ _____

不同凡響一雙手

手有甚麼用途呢？一般人大概會想到按手機。事實當然不只如此，科學家表示，人之所以為人，手扮演了一個很關鍵的角色——因為當年我們的祖先開始動手製造石器，對大腦產生刺激，腦部才會有進一步發展。美國神經學家曾經使用腦造影儀器，觀察大腦在練習製作工具時的反應。結果發現負責認知操控的區域會隨之增長：練習次數愈多，增長愈大。這表示腦部會因為這些手部活動而改變，變得更有發展空間。簡單來說，因為我們用手做東西，才會擁有智能，人類也因此能成為萬物之靈。

手是現代網紅

在互聯網的時代，手也佔有重要席位。近年網上有很多短片甚麼也沒有，就只拍攝手。這些手可能是開箱介紹玩具，或者教人做手作。有統計指出，facebook上各大媒體公司拍攝的短片，有24%只有手。為甚麼手會成為新星呢？其中一個主要原因是手的短片能令人放鬆。現代社會非常着重外觀，我們無時無刻都在注意自己看起來如何，但這會造成很大壓力。而手的短片能讓我們放鬆，只着眼它們所做的事，不用再想臉、身體等外表的東西。所以，這種內容能令現代人鬆一口氣。

▲近年網上很多影片都只拍攝手，微縮煮食影片就是其中之一。（圖片來源：截圖自YouTube頻道"Tastemade Japan"影片）

為何大部分人都是右撇子？

這個問題一直困擾着科學家。研究發現，嬰兒在肚子裏時已有用左手或右手的偏向——一些吸吮左手拇指，一些吸吮右手拇指。其他動物，像北極熊、黑猩猩，也有左右撇子之分。只是兩者的分布是五十五十，各佔一半。人類卻不同，左撇子、右撇子的比例是一比九。為甚麼兩者有這麼大差異呢？有研究人員估計，原因可能是人類是社會動物——對社會動物來說，合作非常重要。而在演化過程中，物種往往會傾向某個共同方向，人類的情形是使用右手。這也不難理解，如果大家都使用右手，合作起來會更合拍，所以右撇子會成為主流。

❓ **考考你** 寶珠公主的手指弄斷了，但她卻不痛不癢，為甚麼呢？

社會新奇事

文化教室

二也是七？

因為文化不同，表達數目的手勢也會有所不同。歐洲一些地區，像法國，以豎起拇指表示一；豎起拇指、食指表示二；豎起拇指、食指、中指表示三；豎起拇指、食指、中指、無名指表示四。但歐洲人的二、三卻是我們的七、八。我們以拇指、尾指表示六，這對日本人也沒有意義，只會以為是打電話。日本的六、七、八、九分別是攤開一隻手掌加一隻手指、加兩隻手指、加三隻手指、加四隻手指。有點混亂呢。

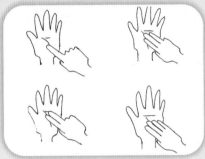

▲日本的六、七、八、九手勢。

中文教室

手的借代

在中文裏，手有時會用來代表人。比方說，我們會用手表示從事某種事情或擅長某種技藝的人，像水手、選手、高手；或者指做事的人，像助手、人手。這是一種修辭手法，稱為借代，即是隱藏了本體（例如人），改用與本體有密切關係或代表性的部分（例如手）代替本體。而除了手之外，其他身體部位也會用來借代人，像「頭目」是領袖、「隔牆有耳」的「耳」是偷聽者。手真的很重要，沒有的話就不能戴戒指了。

小遊戲：辨認手勢

以下的手勢有甚麼意思？試將正確答案填在橫綫上。

勝利 / 和平　　　OK　　　讚好　　　暫停

1. _____
2. _____
3. _____
4. _____

1.
2.
3.
4.

小遊戲：部首交朋友

手（扌）部是很多漢字的部首，大家能根據以下部首和朋友的圖片，猜出它們能組合成哪些漢字嗎？

1.

2.

3.

4.

聆聽種種聲音

　　大家在觀賞電影時，試試留意一下聲效，說不定會發現有趣的事情。比方說，荷里活有俗稱「威廉尖叫」（Wilhelm Scream）的聲效，曾在超過100部電影使用過，可以說是「聲效明星」。製作電影時，如果需要某種聲音，例如尖叫，往往會在聲效庫找來用，而威廉尖叫正是聲效庫其中一條聲效。讓威廉尖叫受發掘的電影是《血戰羽毛河》，當時有個名為威廉的角色給箭射中了腿而發出慘叫。後來聲音設計師賓保特（Ben Burtt）發現了這條聲效，並在《星球大戰》經典三部曲中都使用了它，令它一躍成為「大明星」。直到現在，電影如《魔戒》、《反斗奇兵》，仍可找到它的蹤影呢。

藝術教室

看得見的吶喊

在西方，有一幅名畫《吶喊》，地位可跟達文西的《蒙娜麗莎》、梵高的《向日葵》相提並論。我們可在不少現代創作，像電影、動畫、漫畫，看到不同作者對這幅作品的致敬（或惡搞）。《吶喊》是畫家孟克的作品，擁有富表現力的色彩、流暢的線條，跟引人注目的張力——那個雙手捧臉、大聲叫嚷的主角，實在很難不吸引人注意。據孟克表示，他是在一次跟朋友走路時看到日落，得到靈感，「感到大自然的吶喊。」

STEM教室

不受理解的鯨魚？

1989年，一條鯨魚因為獨特的叫聲，被稱為「世上最孤獨的鯨魚」。當時美國海軍的水底錄音機錄到奇怪的鯨魚叫聲，和藍鯨的呼叫相似，但又有點不一樣。一般藍鯨的音頻在10至40赫茲（Hz）之間，但這聲音卻是52赫茲。大眾媒體立刻發揮聯想，想像牠的叫聲不會被同伴聽到，只能孤獨地過日子。不過這其實是美麗的誤會。有生物學家指出，這條鯨魚的聲音確實與別不同，但其他同類還是能聽到牠的叫喚，只是聽起來有點奇怪而已。所謂最孤獨的鯨魚，並非真的那麼孤獨呢。

▲一條鯨魚因為獨特的叫聲，被稱為「世上最孤獨的鯨魚」。

（圖片來源：Ishara S. KODIKARA / AFP）

❓ **考考你** 世上最囂張的動物是甚麼？

153

社會新奇事

文學教室

聲討社會惡習

1923年，中國文學家魯迅把十多篇短篇小說輯錄成書，取名為《吶喊》。魯迅認為，當時的社會心靈麻木、思想愚昧，是很大的問題，而這一切都是源於封建思想的禍害。《吶喊》正是魯迅對那些問題的回應。書中收錄了作品如〈狂人日記〉、〈孔乙己〉、〈阿Q正傳〉、〈一件小事〉等，描寫了社會不同階層的生活狀況和精神面貌；既加以批評，但又流露一點點童真、童趣，反映魯迅對中國還是抱有一絲希望。

▲文學家魯迅藉作品《吶喊》，聲討當年中國社會惡習。

中文教室

歇後語 叫叫看

中文有好些歇後語都有「叫」字。例如「半夜裏叫城門」——碰釘子。古時天一黑城門就會關上，防止盜賊，在半夜叫城門自然不得要領；「麻子不叫麻子」——坑（騙）人。麻子臉上有坑，所以又可以稱為坑人，而坑又有欺騙的意思。不過這種說法放在今天恐怕有歧視的嫌疑；「叫化子看戲」——窮開心。乞丐（化子）看戲，雖然貧困，但仍然很開心，比喻生活困苦但仍幸福自在；「叫化子上墳」——哭窮。乞丐哭着掃墓即是「哭窮」，比喻向人訴說窮困。你能不能想到其他歇後語呢？

▲「半夜裏叫城門」的歇後語為「碰釘子」。

小遊戲：尋找管樂器

我們會用樂器演奏出悅耳的聲音，大家能夠從以下樂器中圈出管樂器嗎？

A.

小號

B.

小提琴

C.

單簧管

D.

牧童笛

E.

鋼琴

F.

法國號

小遊戲：貓叫聲的來源

陽光家族聽到街角傳來「喵喵」的聲音，大家能找出聲音的來源嗎？

益智有趣出奇蛋

　　你可知道，世上最有名的是甚麼蛋嗎？答案是社交平台Instagram（IG）上的一隻雞蛋。2019年1月，一個名為world_record_egg的帳戶貼了一張平平無奇的雞蛋照片，並寫道：「讓我們一起創造世界紀錄，在IG上得到最多人讚好。」結果，到現時為止，這張雞蛋照片獲得了超過5,500萬人讚好，成為史上最受歡迎的IG帖子！有營銷公司估計，現在world_record_egg一則帖子的品牌價值至少值千萬美元，說這隻雞蛋是超級巨星，一點也不誇張呢。

貯存雞蛋前要清洗嗎？

常識教室

由於母雞並非在無菌的環境生蛋，因此雞蛋確實有可能布滿細菌。這些細菌有兩個來源，一是來自母雞體內，二是來自糞便——構造上，母雞生蛋的地方也是排泄的地方。不過這不表示我們要清洗雞蛋，原因是雞蛋周圍本來就有稱為「表層膜」的保護膜，阻止細菌通過蛋殼上的小孔進入

蛋內。隨便洗蛋有可能會助長細菌滋生，更甚者令細菌跟水一起滲入蛋內，弄巧反拙。其實市面上的雞蛋已經有專人清洗過，確保衞生，所以我們沒必要多此一舉洗蛋。

先有雞還是先有蛋？

STEM教室

這是個很棘手的問題，因為雞蛋是由雞所生產，但雞又是來自雞蛋，形成沒完沒了的循環。然而早幾年有英國科學家聲稱，他們找到了答案——他們認為雞比雞蛋先出現。這些科學家利用了超級電腦分析雞蛋殼的成分，發現只有雞才能製造雞蛋殼。雞蛋殼的主要成分是碳酸鈣，平日母雞是從食物吸收鈣質，像蠔殼、蝦殼。不過，碳酸鈣的形成需要某種蛋白質，而這種蛋白質只能在母雞體內找到。這暗示雞一定是先出現，不然就不會有雞蛋。科學家表示，研究不但可能解開了雞與雞蛋的千古之謎，還有助我們設計新的物料呢。

? 考考你 寶珠公主每天早餐都會吃一隻蛋。但她沒有養雞，也沒有去買，也沒有人送她，那她為甚麼會有蛋？

社會新奇事

文學
教室

綠色的蛋

　　美國兒童文學作家蘇斯博士寫過一本書，叫《Green Eggs and Ham》（綠色的蛋和火腿）。蘇斯博士是著名的作家，創作過不少膾炙人口的兒童文學，例如動畫《聖誕怪怪傑》就是改編自他的作品。《Green Eggs and Ham》的故事很簡單，講述主角不喜歡吃綠色的蛋和火腿，但有個朋友卻老是逼他嘗一口。這本書的最大特色是只用了50個字去寫，那

是因為當年蘇斯博士跟朋友打賭，看誰能用最少文字寫一本書。《Green Eggs and Ham》在1960年出版，之後從未停止再版，成為其中一本最暢銷的兒童圖書。值得注意的是，書中的插圖也是出自蘇斯博士的手筆。雖然他從來沒有接受過正式的繪圖訓練，但仍為自己大部分作品繪畫圖畫。

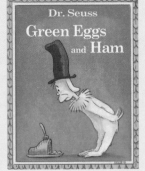

中文
教室

罵人用語

　　「蛋」是動物所生、帶硬殼的卵，受精後可孵出小動物，像雞蛋、蛇蛋。大家也會用「蛋」來形容橢圓形的東西，像臉蛋。有趣的是，「蛋」也常常用在罵人的話，比喻人或動作，例如笨蛋、壞蛋、糊塗蛋、滾蛋、完蛋，不過這種用法較多在近代白話文小說看到。

小遊戲：會生蛋的動物

試從下列圖片圈出會生蛋的動物。

A.

鴨

B.

兔

C.

雞

D.
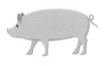
豬

E.

鴕鳥

F.

羊

小遊戲：雞蛋料理的英文

大家知道以下雞蛋料理的英文嗎？試將相應的英文名稱填在橫綫上。

MENU

Scrambled eggs

Omelette

Sunny–side up

Hard–boiled egg

1.

太陽蛋

_____

2.

奄列

_____

3.

炒蛋

_____

4.

焓蛋

_____

一鱗半爪
蛇知識

　　吃蛇是廣東的飲食文化。傳統有所謂「秋風起，三蛇肥」，大家通常在秋冬時分吃蛇，因為蛇是冬眠動物，在準備嚴冬之際，會把自己吃得肥碩，好讓冬眠時有足夠能量和營養，所以這段時間的蛇亦最是肥美，最適合烹調。相比二、三十年前，如今吃蛇的風氣已大不如前，「蛇王二」等舊式蛇鋪，也只剩下少數幾家老字號。大家可能不知道，以前入秋以後，大家都會期待全家人聚在一起吃蛇宴，心情有點像聖誕時對聖誕大餐的期待一樣呢！

如何分辨毒蛇？

民間有個說法，說毒蛇的頭都是三角形。這是真的嗎？其實不是真的。例如百花蛇的頭是三角形，但牠們不是毒蛇；銀環蛇的頭像塘虱（一種淡水魚），是橢圓形，但牠們卻是有毒的。事實上，世上沒有一個簡單的方法能分辨毒蛇，任何時候碰到蛇，都是躲開比較好；如果不幸給蛇咬到，應該立刻去醫院求醫。

龍出於蛇

你覺得龍的樣子跟蛇相似嗎？事實上，兩者不但相像，還可能是「親戚」。話說在原始社會，蛇和龍都是圖騰；所謂「圖騰」即是原始部族崇拜的事物。有學者估計，龍本來只是一個大蛇圖騰的稱呼，後來這個部族吞併了其他部族，吸收了其他圖騰的特徵，像馬的頭、鹿的角、狗的爪、魚的鱗等，慢慢變成現在我們熟悉的形象。那即是說，蛇或者是龍的「祖先」，這算不算是青出於藍呢？

社會新奇事

常識教室

醫學、蛇杖、荷米斯

蛇給人的印象通常不是那麼好，然而奇怪的是，很多醫學組織，像香港醫學會，卻用了蛇作標誌。那其實是歷史悠久的標誌，背後涉及古老的希臘神話。大家最常看到的雙蛇杖，是希臘神祇荷米斯的手杖。荷米斯是眾神和人類之間的使者，也是地下世界的嚮導。雙蛇杖是眾神之王宙斯送給荷米斯的禮物（也有一說是太陽神阿波羅送的），原本只是普通的棍子。後來荷米斯看到兩條大蛇打架，分開牠們，才讓牠們纏上手杖。由於荷米斯也是旅行者之神，而在過去，醫生必須長途跋涉旅行才能看望病人，因此讓他跟醫學拉上關係，成為象徵。

▲大家最常看到的雙蛇杖，其實是希臘神祇荷米斯的手杖。

中文教室

它是蛇

「蛇」本來的寫法是「它」，後來因為「它」借用了作第三人稱代詞，古人於是加上「虫」旁，創造出「蛇」。為甚麼「它」會變成第三人稱代詞呢？因為古人居所近草，很怕有蛇，見面時往往會問：「無它乎？」意思是「沒碰到蛇吧？」大家常常說「有它」、「無它」，慢慢地「它」就變成第三人稱代詞了。

? 考考你 蛇A到蛇Z，哪一條爬得最慢？

小遊戲：蛇的成語

試根據筆記上的提示，在黑板上選出最合適的成語：

1. 形容做了一件多此一舉的事。
2. 比喻沒有將事情弄清楚便暗自害怕。
3. 形容行事不夠謹慎，使對方察覺而防範。
4. 比喻做事有始無終，不夠徹底。

杯弓蛇影　　蛇頭鼠眼

打草驚蛇　　畫蛇添足

虛與委蛇

虎頭蛇尾

小遊戲：尋找蛇蹤

曲家里一家經營蛇店，有一天他們打算將蛇拿出製成料理，卻不小心讓蛇從手中溜走出店外。他們向鄰近的店鋪打聽，店主告訴他曾在公園的東南方、橋的西北方見過蛇的蹤影。大家能協助曲家里一家找回走失的蛇嗎？

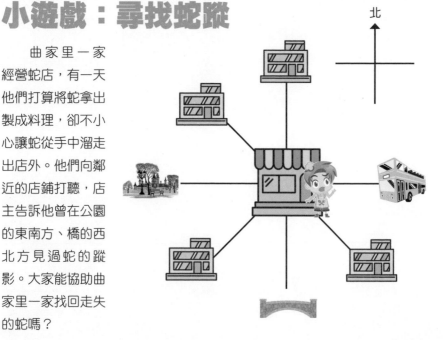

北

第五章

世界手牽手

國際護士節

　　醫生、護士及一眾醫療人員，每天都照顧着我們的健康，拯救我們的生命。一場新冠病毒肺炎，更讓我們明白到醫護人員如何無私和偉大。與醫生相比，護士的地位和薪金通常較低，也較少受人重視。因此，每年5月12日的「國際護士節」，便正好提醒我們要謹記全球護士的奉獻精神與作出的貢獻，我們每個市民都應當好好感謝他們，更要關注他們的工作環境與待遇。

「護士」是nurse

　　「護士」的英文是nurse。由於過去護士幾乎必定是女性，即使現在仍以女護士佔大多數，也很少會說female nurse（女護士）；而若是男護士，則有時會特別說明是male nurse。護士有時會分為初級和高級的，英文分別叫junior nurse和senior nurse；仍然在學和實習的護士，可叫student nurse或trainee nurse。

此外nurse可用作動詞，解作照顧、照料病人，例如nurse a cancer patient是「照顧一位癌症病人」。

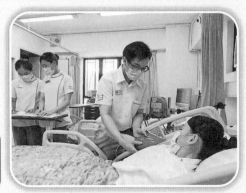

考考你 用作動詞的nurse尚有其他意思。A nursing mother是怎麼樣的母親？

含「護」字的詞語

　　除了「護士」外，尚有不少詞語含有「護」字，你懂得以下幾個嗎？

（一）護理：一種醫療工作，主要是協助醫生；護士的工作便是護理。

例句：「南丁格爾幾乎獨力改革了整個醫院護理制度。」

（二）護照：出國及進入外國時所需的旅遊證件。

例句：「他的護照已過期，因此不獲准進入日本。」

（三）辯護：在法庭上，以口頭或文字方式保護當事人的權利和利益。

例句：「他必須聘請一位律師替他辯護，否則可能會獲判重刑。」

世界手牽手

人物教室 「提燈女神」南丁格爾

　　為何「國際護士節」會定在每年的5月12日呢？原來因為這天是舉世聞名的護士——南丁格爾——的生日。南丁格爾是英國人，在意大利出生。在18世紀中葉的克里米亞戰爭中，她率領數十名護士走到前綫治理傷兵，因而獲譽為「克里米亞的天使」和「上帝派來的天使」；她在晚上會提着燈巡房，因而被稱為「提燈女神」。南丁格爾改良了醫院的護士制度，令死亡率大幅下降，因而受到護士界及一眾病人景仰。

文化教室 未來護理的遠見

　　國際護士節每年都有一個特定主題，2021年是A vision for future healthcare，即「未來護理的遠見」，為護士工作的未來構思一個新的方向與目標。自1965年，國際護士理士會便慶祝這個節日，而自2017年到2021年，連續五年都環繞着一個大主題：A voice to lead（領導之聲），然後再有一個小主題；例如2018年是「健康是一項人權」，2019年是「人人皆健康」。

小遊戲：「護」補不足

下面的四字成語都缺了一些字，你能填上正確答案嗎？

1. 不護 __ 行

2. __ __ 相護

3. __ __ __ 民

> 你知道為甚麼護士制服大多是白色嗎？因為醫院很講究衛生，白色衣物容易察覺污染物，而且白衣經常清洗和高溫消毒，便沒有褪色的問題。

小遊戲：當一日醫院院長

你現在是位醫院的院長，除了照顧病人外，還須要編排護士的當值時間。你的醫院有兩間病房，有四名女護士和兩名男護士，如果每個病房都需要至少三人負責，其中一位必要是男護士，請問有多少個可能的組合呢？

提示：試試以代號，把不同組合畫在紙上。

May

Betty

April

Sally

> 當院長真的不容易！

Tom

Edan

A

B

世界教師節

　　10月5日是聯合國訂立的「世界教師節」，節日的目的是要感謝教師及其他教育工作者為培育學生而作出的重大貢獻。雖然聯合國訂立的世界教師節在10月5日，但除此之外，世界各地也會在不同日子，慶祝各自的教師節呢。例如在台灣，是在9月28日孔子誕辰慶祝，因為孔子是歷來很多中國人所尊敬的老師，更獲讚譽為「萬世師表」。至於在香港，回歸中國前跟隨台灣，而回歸後則跟隨內地，改為在9月10日慶祝。不管教師節是哪一天，我們都別忘記要好好感謝老師的教導呢！

「師」字有多個意思

中文
教室

簡單的一個「師」字，可以有多個不同意思。首先，它可以指傳授知識、學問、技能的人，例如「教師」、「老師」、「講師」等。其次，它可指具有某種專門技藝的人，例如「律師」、「廚師」、「醫

師」、「機師」等。此外，「師」還可用作尊稱宗教人士，例如「牧師」、「法師」、「禪師」等。「師」字本身也可指軍隊，例如「出師」即出兵。

❓考考你 「師」字的部首是甚麼？

「老師」叫teacher

英文
教室

「老師」的英文是teacher。那麼，小學老師、班主任、校長等等應怎麼叫呢？「小學」是primary school，而「小學老師」可叫primary

school teacher或簡單叫作primary teacher。「班」是class，「班房」是classroom，而「班主任」可叫class teacher或classroom teacher，以前者較為常用。至於「校長」，可叫headmaster或principal，而英國人也會把校長稱作head teacher。

文化教室

「萬世師表」孔子

中國最著名的教育家是孔子，名丘，字仲尼。他生於春秋時代，不但是教育家，更是哲學家。中國二千多年最具影響力的儒家思想，便是由孔子創立。他最著名的教育理想是「有教無類」，意思是教育的對象是沒有貴賤貧富的分別的；換言之，即使出身低賤或十分貧窮的孩子，都應當得到教育的機會。這個理想令教育不再是貴族的專利，而窮人也可以藉着教育改善生活。

歷史教室

最古老學校

以中小學來說，現時全世界最古老的學校是位於英國根德郡（Kent）根德伯里鎮（Canterbury）的英王學校（King's School）。它是英國最古老的官立學校，在公元597年創立，即已有1400多年歷史。世界上第一所學校當然在很早已出現，距今大概至少二、三千年；但現時仍然運作的學校中，則以這所英王學校的歷史最悠久。

小遊戲：職業配對「師」

師字有很多意思，除了教師外，還有很多職業都是「師」字輩，試試把下面的工作描述與對應的職業連起來。

1. 我喜歡拿刀，也愛用火，但我不是壞人；大家看到我工作的樣子都會流口水。　　　●

2. 我沒有翅膀，但我總是坐在天空；我責任重大，確保幾百人的生命安全。　　　●

3. 我其實不太想看到你，因為這代表你身體出現了毛病；當我給你不好吃的糖果時，其實我的心也不太好受。　　　●

4. 我能畫出精細的圖畫，大家只要跟着我的畫便能建成萬丈高樓！　　　●

A.

B.

C.

D.

小遊戲：竊竊「師」語

你有喜歡的老師嗎？

你可以寫出三個跟「教師」有關的成語嗎？

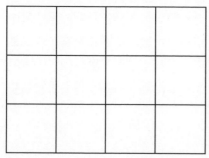

173

國際地球母親日

　　4月22日，是所有地球人的一個大日子——因為這天是「地球日」兼「國際地球母親日」。這兩個名字有少許不同，但主角都是我們居住其中的美麗行星。首屆在1970年舉行的「地球日」所關注的課題較廣，例如氣候、和平、環保、教育、種族等等。至於在2010年才首次慶祝的「國際地球母親日」則強調地球是我們的母親，反映了地球、人類及其他生物互相依賴的緊密關係。

「母」泛指根源和基礎

　　「母」本解作母親,而由於母親是生命的根源與基礎,「母」字也因而含有這個意思。下面是一些例子:

（一）字母:拼音文字的書寫符號。字母是每個字的「母親」,因為若沒有字母,便不會有字。

（二）航空母艦:用作承載戰機的航艦,就像是懷抱着眾多戰機的一位母親一樣。

「地球母親」叫 Mother Earth

　　「地球母親」這個詞語我們可能覺得有點怪,其實是翻譯自英文的Mother Earth,即把地球當作是人類以至所有生物的母親。事實上,中國古人也有「父天母地」的說法,即以天為父親、以地為母親,不過這

個四字詞常用作指稱皇帝。另一個同樣解作Mother Earth的英文字是Gaia(讀如GAI-a),她是古希臘神話中的大地女神,中文會譯作「蓋亞」、「蓋婭」、「該亞」、「楷亞」等。

? 考考你　試把earth的字母重新排列,變成一種器官。

生態教室 「生物多樣性」有利人類健康

地球母親日的一大目標是維持「生物多樣性」，即努力讓地球的動植物種類盡量多元，並減少地球上滅絕或瀕臨滅絕的物種。原來生物多樣性

與人類健康息息相關：人類平均每四個月便會出現一種新的傳染病，當中有四分之三源自動物。生物多樣性可以防止傳染病在人類之間傳播，因為它可減低病菌與病毒蔓延的速度。因此，保護地球及當中的動植物，便間接維護了人類健康。

動物教室 沒腦沒心沒血的水母

有一種有趣動物含有「母」字，那便是我們也常叫作「海蜇」或「白鮓」的水母。原來這種生物有幾樣重要器官和物質都欠缺，包括腦袋、心臟、血液，以至在水中賴以維生的鰓等。水母的體內有百分之九十五都是水分，此外有百分之三是鹽、百分之二是蛋白質。牠們的身體主要分為三個部分：傘狀或鐘狀的軀體、俗稱「觸鬚」的觸手，以及功能像嘴巴的口腕。

小遊戲：水母換新裝

王子發現地球上有一種奇怪的生物叫水母，他打算用高科技給它換換新裝，你能幫下面的水母填上顏色嗎？

別看牠這麼可愛！箱水母的毒液足以殺死60位成人。

小遊戲：動物找不同

地球是一個漂亮的星球，除了人類外，還住着許多動物，你能找出右面兩張圖的六個不同之處嗎？

有科學家研究指出，現時地球約有870萬種物種，大家要好好愛惜我們的地球母親呀！

世界水日

　　大家覺得水——尤其食水——在你的生活中重要嗎？當然重要，對不？因此，聯合國將每年的3月22日定為「世界水日」，以喚醒大眾明白淡水資源如何重要。現今的食水價格相對便宜，容易令人忽視水的珍貴價值，聯合國還告訴我們，食水其實得來不易，原來當今世上每三人之中，就有一人無法獲得安全的飲用水。我們能夠生活在隨時隨地都有乾淨水資源可用的地方，實在是非常幸運，所以大家都要珍惜食水，不要隨便浪費！

含「水」字的諺語

諺語是民間流傳的俗語，句子雖簡短，卻帶出道理。

• 河水不犯井水：比喻界限清楚，互不干擾。

例句：他們和鄰居一向不和，卻河水不犯井水，只是互不理睬，從不互相吵罵。

• 水能載舟，亦能覆舟：比喻同一樣事物若適當使用便對己有利，若誤用卻會有害。

例句：恭喜你中了頭獎！但「水能載舟，亦能覆舟」，你要謹慎理財，勿樂極生悲。

Water可否加s？

英文教室

「水」的英文是water，而可能小朋友都記得老師說過，water並不可數，因此不能說a water，也不可用複數waters。然而，這只是針對water解作「水」時的用法。在一些情況下，原來water是可數名詞，也可加s。例如解作某個海或湖的「水域」時，便要用複數waters，例如：

This species of fish can only be found in the coastal waters of the Pacific Ocean（這個物種的魚，只能在太平洋的沿岸水域找到）。

> ❓ 考考你　除了用作名詞，water尚可用作動詞。His mouth watered是甚麼意思？

179

環境教室

水資源極為重要

香港人十分幸福，很容易便可飲用到清潔的食水。然而，原來這絕非必然：在全球78億人口中，有22億人——即接近三成人——現在仍無法獲

得安全飲用水。聯合國指出，獲得安全飲用水和衞生設施，是正常生活的先決條件，也是一項國際公認的人權。水對實現人類健康營養、性別平等及經濟增長等可持續發展目標，都至關重要。尤其現在新型冠狀病毒肆虐，人類更需要清潔的水來遏止疾病蔓延。

常識教室

節約用水，人人有責

為己為人，節約用水是我們每個人的責任。在日常生活中，我們一點一滴的行動都是有用的。各位同學可和父母一起實行以下各點：一、少用浴缸浸浴，多用花灑淋浴，並減少淋浴時間；二、刷牙時，切勿放任水龍頭開着；三、已倒入水杯的水，盡量喝完，不要倒掉；四、經常檢查水喉和水管有否漏水；五、不要玩水；六、儲足衣物才開動洗衣機；七、同樣，若家中有洗碗碟機，也要儲足食具再開動。只要每人多做一步，地球的食水問題便更易解決。

小遊戲：誰喝最後一口水？

　　水是地球珍貴的資源，如果我們不懂得好好珍惜，便有可能再喝不到乾淨的食水。王子一行人剛好來到一個水資源缺乏的小行星，完成下面的鬼腳圖，看看誰能喝到最後一杯水吧。

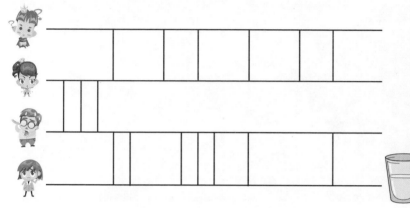

小遊戲：飲管潛水艇實驗

準備工具：一枝可彎曲飲管、一個膠水樽、數個萬字夾

步驟：

1. 將飲管彎曲、對摺成 U 形，剪下，全長約 6CM。
2. 把萬字夾塞進對摺的吸管管口，使兩邊吸管不會張開，「飲管潛水艇」的艇身便完成了。
3. 輕輕將「飲管潛水艇」放入裝滿水的水樽內，扭緊瓶蓋，然後用手按壓水樽，「飲管潛水艇」便會沉到樽底，鬆開手，「飲管潛水艇」便會浮上來。

> 真有趣！你們成功了嗎？

奉旨搞怪 萬聖節

　　10月31日的萬聖節是奉旨搞怪的有趣節日，在外國，小朋友會裝扮成小鬼怪，在晚上挨家挨戶向戶主討糖果吃，並說上一句：「Trick or Treat」，意思是「不給糖就搗蛋」了；戶主通常都會準備好糖果應節，而小朋友所謂的搗蛋，也不過是開一些無傷大雅的玩笑而已。香港近年稱萬聖節為「哈囉喂」，因為它音譯自英文名稱Halloween。中國人的鬼節在農曆七月十四，氣氛比較可怕，也有諸多禁忌；相反，外國人的這個鬼節卻可以隨便嘻哈狂歡，扮鬼扮馬，充滿歡樂氣氛。

人狼、吸血鬼是病人

人狼、吸血鬼的傳說流傳多年，有科學家認為，這些怪物未必只是純粹的幻想，而是患了某種疾病的病人。那種疾病稱為紫質症，其中一個病徵是對陽光敏感：只是一點陽光也能傷害病人的皮膚，導致面容受損，以及因嘴唇和牙齦收緊而露出牙齒，變得有如動物。因為這個緣故，一些人或者改為在夜間活動，漸漸演化出狼人、吸血鬼的傳說。由於血液裏的血紅蛋白能紓緩病情，有些病人可能因此吸食起血液來，形成吸血鬼的形象。另一方面，蒜頭含有的化學物質能加劇病情，這解釋了為甚麼會有吸血鬼害怕蒜頭的說法。

木乃伊不便宜

木乃伊其實是死者。古埃及人之所以會製造木乃伊，是為了保存死者，令他們的精神能順利進入死後世界。當時一般人不會被製成木乃伊，通常只有貴族、官員才有這個處理。製作木乃伊需時70天，過程中古埃及人會用鹽、其他化學物質處理死者，防止身體腐化。完成的木乃伊會用亞麻布包裹，並在葬禮前放上面具。做完這些工夫要花不少錢，一點也不便宜呢。有趣的是，因為古埃及的宗教原因，動物也會被製成木乃伊，像狒狒、貓、鳥、鱷魚等。

▲在古埃及，動物也會被製成木乃伊。

英文教室

黑的變化

英文Black除了黑色之外，還有很多別的意義：Black可以指沒有希望，例如The future looks black解未來看來一片黑暗；另外，Black也有惡劣、邪惡的意思，A black-hearted person是一個黑心的人；Blackout指突然失去知覺一段時間，中文大致可譯為眼前一黑；而See things in black-and-white就指簡單看待是非對錯，類似我們說的看事情非黑即白。

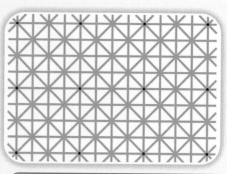

 考考你 上圖總共有多少顆黑點？

中文教室

含「鬼」字但與鬼無關

中文有不少詞語都含有「鬼」字，但與鬼怪沒有關係。

1. 「鬼馬」：廣東俚語，解作古靈精怪。

例句：「這些孩子很鬼馬，經常作弄人，但心地絕不壞。」

2. 「扮鬼臉」：面部表情故意裝出詼諧可笑的模樣。

例句：「小明的母親着他做家課，他只扮了個鬼臉，便又走出屋外玩耍了。」

3. 「鬼祟」或「鬼鬼祟祟」：行為不光明。

例句：「他們二人鬼鬼祟祟躲在門後，不知想做甚麼？」

小遊戲：糖果找找看

來到萬聖節，小孩子紛紛穿上嚇人的衣飾，逐家逐戶去高呼「不給糖就搗蛋」，向鄰居們索取糖果。大家能找到鄰居一共準備了多少糖果給小孩子嗎？

小遊戲：瞬間轉形

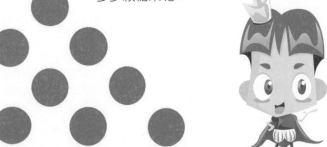

小朋友將所得的糖果整齊排列成一個三角形，假如要將它變成一個正方形，至少須要移動多少顆糖果呢？

細說足球

　　假如要你畫足球，你會畫成甚麼模樣？十個人中大概會有九個畫成黑白色。不過，你可知道，一開始足球不是這樣的？早期的足球是啡色，直至1970年墨西哥世界盃，才出現黑白足球。當時改變顏色，是因為要遷就電視——那時黑白電視比較普遍，要是沿用啡色，會很難把球和草地區分開來，黑白設計能讓電視觀眾較易看到球，自此黑白足球成了大家採用的款式。不過隨着時代前進，足球已不再只有黑白色了。

中國古代也有足球

古時中國也有類似足球的遊戲，名為「蹴鞠」。據歷史記載，蹴鞠本來是軍隊的遊戲，後來發展為大眾的娛樂活動。蹴鞠從戰國時期起已非常流行，漢代名將衞青、霍去病曾經在駐守邊疆時以蹴鞠消遣，到了清代更有冰上踢球。儘管國際足協前會長白禮達表示，蹴鞠是足球的原始形態，但歷史專家對此是否事實還是很有保留。

世界盃選手搖籃——法國

世界盃的國家隊選手有些是本國出生，有些則來自外國，當中「出口」最多球星的國家，原來正是法國。為甚麼世界盃能找到這麼多法國選手？事情可以追溯到二次大戰。二戰後，為了重建國家，法國從歐洲、前殖民地輸入了大量外勞。這個措施令法國的移民人數大大增加。部分移民下一代因為受惠於國內的運動員發展制度，成為出色的足球員。一些人獲選為法國代表，像新星麥巴比；另一些則選擇回去故鄉，代表祖國出賽。這是為甚麼那麼多國家隊可以找到法國選手的蹤影。

STEM 教室

香蕉球原理

足球界有個術語叫「香蕉球」，指那種飛行路徑是弧綫的球。為何足球在飛行時能轉彎呢？關鍵在於旋轉。右圖是由上向下看的俯視圖，表示足球如果逆時針旋轉，會有甚麼情形：紅色箭嘴代表足球前進的方向，黑綫代表空氣的流動。當足球逆時針旋轉，左側轉動的方向會跟氣流相同，令氣流速度增加；相反，右側轉動的方向會跟氣流不同，令氣流速度減少。根據物理定律，流體速度愈大，壓力愈小，這導致左側的壓力比右側少，令球向左邊移動（藍色箭嘴），形成弧形路綫。

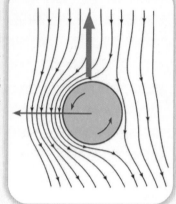

考考你 甚麼球是不能吃的？

為何美國人叫soccer？

英文教室

在美國，足球的叫法是soccer，而不是football。你大概會想，soccer是美國人發明吧？但實際上，那是英國人發明的。在19世紀初期，英國一些大學把中世紀一種遊戲——足球，帶到現代，並改良一番。這種新足球遊戲有幾個版本，其中之一稱為「association football」（協會足球），之後簡化為「soccer」。其後現代足球運動傳到美國，soccer這個稱呼也跟着傳過去。隨着時間發展，英國人反而不用soccer，只剩美國人使用。

▲在美國，足球的叫法是soccer。

小遊戲：足球在哪裏？

陽光家族到球場踢足球，卻發現球場上布滿足球以外的其他球類，大家能幫忙找出足球嗎？

小遊戲：看圖猜詞

試從以下圖片猜出相應詞語。

1.

2.

3.

4.

世界長頸鹿日

　　大家喜歡長頸鹿嗎？有否覺得牠們長長的頸項、長長的雙腿、美麗的斑點，以至一對毛角都十分可愛呢？每年的6月21日是「世界長頸鹿日」，猜猜為何要定在這一天？原來6月21日是南半球的冬至、北半球的夏至，即是最長的白天或最長的晚上，於是便留給頸項最長的動物——長頸鹿了。野生的長頸鹿現時只生活在非洲某些地區，全球數量約有11萬頭，算是「易危物種」。因此，我們要好好認識和保護長頸鹿啊！

含「鹿」字的四字成語

（一）指鹿為馬：指着鹿卻說是馬，比喻顛倒黑白、混淆是非。

例句：「他三番兩次的指鹿為馬，我們必須拆穿他的謊言！」

（二）逐鹿中原：鹿在古代是主要狩獵目標，比喻政權，是指各方爭奪天下。

例句：「秦朝末年，群雄逐鹿中原，最後由漢高祖劉邦奪得天下。」

（三）鹿死誰手：比喻共同爭奪帝位以至任何事物，不知誰會勝出。

例句：「這場網球比賽，雙方勢均力敵，真不知鹿死誰手。」

? 考考你　「鹿」字的部首是甚麼？

「長頸鹿」叫 giraffe

　　雖然「鹿」的英文是 deer，但「長頸鹿」的英文卻不是 long-necked deer，而是叫 giraffe。它讀如 ji-RAHF 或 ji-RAFF；此外首音節也可讀作 ja-，即全字可讀作 ja-RAHF 或 ja-RAFF。此字的字源是阿拉伯文，本來的意思是「走路很快的動物」，因為長頸鹿的確走得頗快呢。另一方面，長頸鹿以前曾叫作 camelopard，由 camel（駱駝）和 leopard（豹）二字組成，皆因牠的外形像駱駝，斑紋像豹呢。

191

動物教室

長頸鹿不是鹿

長頸鹿雖含有「鹿」字，但牠並不是一種鹿。鹿和長頸鹿都屬於「哺乳綱」（即能通過乳腺分泌乳汁來餵哺幼雛）之下的「偶蹄目」（即每個蹄的腳趾數目是偶數，通常是兩隻或四隻），然後再分為不同的「科」：「鹿科」和「長頸鹿科」。不難猜到，長頸鹿是頸項最長的哺乳動物，也是最大的反芻動物。長頸鹿是素食的，主要吃葉、花、果實，尤愛長得高的植物，例如「含羞草亞科」中的「金合歡族」。

醫學教室

鹿角鹿尾皆有益

在中醫角度，鹿的不少部位都有益人體健康，例如鹿肉是很滋補的食品。此外若說到藥材，便不能不提兩大補品：鹿茸和鹿尾羓。鹿茸是指雄鹿尚未骨化、長滿茸毛的角，算是未成年的鹿角；另一方面，骨化了的鹿角本身也有藥效。除了頭頂的角外，鹿的尾巴也是很常用的補身中藥，一般寫作鹿尾羓。有說「陽氣聚於角，陰血聚於尾」，因此鹿茸和鹿尾羓都是鹿的血氣精華所在。

小遊戲：動物世界之最

長頸鹿是全世界最高的動物，大家又知道以下動物是哪些「世界之最」嗎？
跑得最快的動物／體形最小的犬種／移動最慢的哺乳動物／最大的陸上動
物／體形最大的海洋動物／最大的鳥類動物

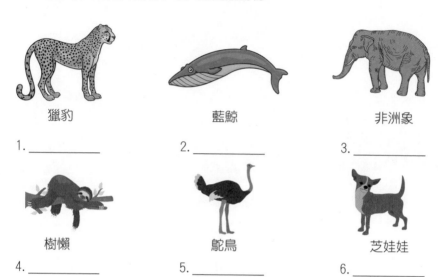

獵豹　　　　　　　藍鯨　　　　　　　非洲象

1. _____　　2. _____　　3. _____

樹懶　　　　　　　鴕鳥　　　　　　　芝娃娃

4. _____　　5. _____　　6. _____

小遊戲：誰是最高？

陽光家族各人都自詡身高像長頸鹿一樣高，到底誰才是最高呢？試把
最高的陽光家族成員圈出來吧。

王子　　　　寶珠公主　　　　手工小作　　　　曲家里

150 厘米　　　1.49 米　　　　5 呎　　　　1,530 毫米

紙飛機日

　　大家喜歡摺紙飛機嗎？每年的5月26日是美國的「全國紙飛機日」。在這天，主辦機構呼籲美國及全球人士放下他們的手機和電子產品，不再做「低頭族」，暫時離開網上和虛擬世界，回到有血有肉的現實世界，舉頭欣賞自己及親友摺製並飛上空中的紙飛機。為了慶祝這個特別的日子，有些紙飛機迷的組織更舉辦紙飛機比賽，在飛行時間、飛行距離、飛機造型等方面，齊齊一試高下。

含「飛」四字成語

中文教室

含有「飛」字的四字成語，很多都跟飛行沒有直接關係，只是用作比喻呢。

一、「飛黃騰達」：形容事業非常成功，平步青雲。

二、「眉飛色舞」：形容神情非常歡樂。

三、「六月飛霜」：比喻有冤獄，有人受到無理逼害。

四、「不翼而飛」：比喻物件無緣無故消失了。

？考考你 「飛」字共有多少筆畫，部首是甚麼？

「飛機」是aeroplane

英文教室

「飛機」有幾個常用的英文名稱，香港人較常用的是aeroplane。這個字英國人慣用，香港由於曾經是英國殖民地，因此我們在小學便多學習aeroplane。至於美國人則多用airplane。而不管是英國還是美國，以至世界各地，尚且常用簡略了的plane。「紙飛機」，便可叫paper aeroplane、paper airplane、paper plane等。此外，「紙飛機」尚可叫paper glider、paper dart，以至簡單的dart等；當中的glider指「滑翔機」，而dart則解作「飛奔」。

科學教室 「飛機之父」萊特兄弟

說到飛機，不能不提美國的萊特兄弟，因為他們是現代飛機的發明者，給尊稱為「飛機之父」。哥哥威爾伯和弟弟奧維爾並非最先發明飛機的人，但他們研製出來的「飛行者一號」，是首架以固定機翼來穩定航行的動力飛機。1903年12月17日這個重大日子，萊特兄弟輪流試飛，四次的飛行距離是36.5米、53米、61米、260米，飛機離地約3米。長度與高度都不多，但卻締造了人類飛行歷史。

▲美國的萊特兄弟是現代飛機的發明者。

文化教室 世界紀錄近30秒

你摺的紙飛機可以飛行多久和多遠呢？世界紀錄是十分驚人的。時間最久的紀錄，是由日本紙飛機協會主席戶田拓夫，以名為「飛機之王」（Skyking）的紙製尖頭滑翔機所造出的29.2秒；留意這隻紙飛機是以繞圈而非直綫方式飛行。至於紙飛機飛行最遠的紀錄，是由美國人高連思（John Collins）製造的扁頭「蘇珊號」所創出的69.14米，差不多相等於一個足球場的闊度。

▲創出紙飛機飛行最遠紀錄的高連思，出書教人摺紙飛機。

小遊戲：猜猜誰說了真話

今天王子、寶珠公主、曲家里和手工小作一起玩紙飛機，他們玩得很開心，還比賽誰的紙飛機能飛得最遠，可是他們四個人之中，只有一個人說了真話，來猜猜是誰吧！

小遊戲：迷宮大探險

今天紙飛機飛啊飛，飛到了一個很遙遠的地方，它發現自己迷路了，我們來一起幫助他走出迷宮吧！

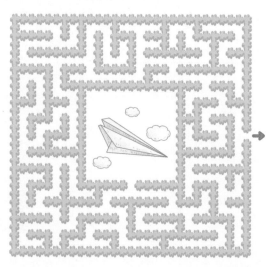

答案

文化教室：
拍一張「彩色照片」。
（因為熊貓只有黑白色）

P.13 **逃離隕石帶：**

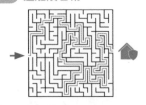

智破密碼鎖： 3（B×3＋C＝A）

P.15 **天文教室：** 英國。

P.17 **黑洞畫鬼腳：** B

「黑」的四字詞： 參考答案：黑白分
明、是非黑白、黑白
顛倒、黑白不分、白
紙黑字、烏燈黑火、
起早貪黑、漆黑一片

P.20 **職業教室：** 因為甲拍手叫好。

P.21 **詞語找找看：**

強	雷	轟	炸	驚
風	行	電	擊	為
馳	人	光	交	天
電	止	火	功	加
製	步	石	破	人

一筆畫閃電：
在紅點下筆便能
成功一筆畫完。

P.23 **STEM教室：**
紅色。不是一筆畫完的字母都
是紅色。

P.24 **視藝教室：** 兔子或鴨子。

P.25 **玻璃杯難題：**
將 5 公升水倒進 3 公升水杯，
將餘下的 2 公升倒進水盆，將
此步驟重複一次，便能得到剛
好 4 公升水。

尋找家居玻璃：

P.28 **英文教室：**
因為兩個半小時其實是「兩個
半個小時」。

P.29 **找出「肥」與「胖」：**

港	心	小	復	矮	徹
口	李	廣	三	矮	傻
光	重	蹈	體	胖	滿
明	大	肥	頭	胖	耳
獨	食	難	肥	州	真
正	明	上	香	噴	噴

P.31 **英文教室：**
AI，全名是artificial
intelligence。

P.33 **機械家庭找不同：**

機械人表錯情： B，C，A，E，D

P. 36 文化教室：
零本，因為書都售罄了。

P. 37 質數九宮格：

71	5	101
89	59	29
17	113	47

追捕「質數人」：

P. 39 生活教室：
因為他們是「細蚊仔」。

P. 41 滅蚊大作戰：

生物找不同：

1. 2. 3. 🌲

P. 45 英文教室：
字母t，因為它位於water（水）的中央！

P. 47 水的粵語詞：
1. 半桶水 2. 提水 3. 醒水 4. 散水
容量大比併：D

P. 49 中文教室：三個都是。

P. 51 診斷眼疾：
1.B 2.D 3.C 4.E 5.A

顏色的英文：
1.Red 2.Blue 3.Yellow 4.Green
5.Magenta 6.Orange 7. Purple

P. 53 歷史教室：
毛髮。因為「毛髮」（無法）可修飾的一對手。（〈真的愛你〉歌詞）

P. 55 古文猜猜看：
髮 → 5 頭 → 1 毛 → 6
絲 → 3 鼻 → 4 眉 → 2

分辨髮型：1. b 2. a 3. c

P. 58 英文教室：

Marshmallow　　爆炸糖
Soft candy　　　泡泡糖
Lollipop　　　　薄荷糖
Popping candy　棉花糖
Chewing gum　　口香糖
Bubble gum　　　棒棒糖
Nougat　　　　　鳥結糖
Mints　　　　　　軟　糖

P. 59
走出心臟迷宮：

腦力大挑戰：▢=1 ⬤=3 △=5

P. 61 中文教室：一串 > 一把 > 一根

P. 63 蕉皮留誰踩：
章卜卜最後避開了蕉皮

猴兒找不同：

P.65 文化教室：蝦冇（哈姆）太郎。

P.67 星空上的巨蟹座：

P.69 STEM教室：一分鐘

P.73 中文教室：

斷句方式是：齊齊齋，齊齊戒，齊齊齋戒，神恩廣大朝朝朝；朝朝拜，朝朝朝拜，功德無涯

下聯各個「朝」字，第三個和最後一個讀作「潮」音，解作「朝拜」；而其餘的「朝」字則讀作「招」音，解作「朝早」。

P.75

下一隻是甚麼？：

P.79 中文教室：

「雨綿綿」即不見「日」，「妻獨宿」即沒有「夫」。「春」字減去「日」和「夫」，答案便是「一」。

P.81 拼詞全方位：

1. 天 2. 季 3. 風 4. 節

問答過三關：

1. 復活節、清明節、婦女節等
2. 孟浩然〈春曉〉、杜甫〈春夜喜雨〉、白居易〈春題湖上〉等
3. 驚蟄、清明、春分等

P.83 文化教室：

12月。在21日至23日之間。

P.85 季節大不同：

澳洲：冬季　美國：夏季　德國：夏季
阿根廷：冬季　日本：夏季　南非：冬季

季節的別稱：

春季：芳春　夏季：清夏
秋季：金天　冬季：三冬

P.87 英文教室：

Plant尚可指「工廠」，即factory。

P.89 植物真與假：

英文名配對：

1. Chrysanthemum 2. Lotus
3. Rose 4. Tulip 5. Cactus

P.91 中文教室：美國

P.93 保育區不速之客：

棋盤問答挑戰：

機會1：黑臉琵鷺、小白鷺、珠頸斑鳩等
機會2：Mudskipper
機會3：游泳、釣魚、採集野生動植物等
機會4：紅樹林、淡水魚塘、基圍等

P.95 英文教室：

動詞是die，名詞是death，形容詞是dead。

P.97 香港受保護野生動物：
穿山甲、水獺、箭豬

野生動物棲息地：
水母：海洋　斑馬：草原
響尾蛇：沙漠
大象：熱帶雨林　北極熊：北極洲

P.99 英文教室：
空有威勢而沒有實力的人、
組織、國家、狀態等。

P.100 數學教室：
老虎一年吃掉10,585公斤的
肉，相當於5,475隻雞。

P.101 虎口脫險：

辨別貓科動物：熊貓、貓頭鷹

P.103 中文教室：
向右走，因為「石」字伸出了
頭便變成了「右」字。

P.105 石字家族：
碗、砧、破、砌、礙、磁、
碩、磅等

尋寶路綫找找看：

P.108 數學教室：B

P.109 量詞配對：

1. 副　2. 條　3. 張　4. 所　5. 枝　6. 塊

拯救放生動物：

P.113 英文教室：胡椒粉。

P.115 辛辣菜式：麻婆豆腐、冬陰功

火鍋裏的辣椒：

P.117 歷史教室：
紅褐色。（小熊貓又稱為
紅貓熊、火狐等。）

P.119 影中尋物：
魚兒影子→4；黃椒影子→2

P.122 歷史教室：用飲管。

P.123 抽絲「搵」橙！：B

水果找不同：

P.126 地理教室：
世界上第一大島國是橫跨亞洲和大洋
洲的印尼（不是澳洲，因為它給分類
為大陸，並非島嶼）；而最大島嶼的
首三位則依次是北美洲東北的格陵
蘭、澳洲北面的新畿內亞、亞洲的婆
羅洲。

P.127 遠古野生動物：

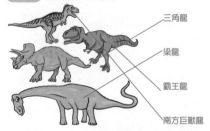

三角龍
梁龍
霸王龍
南方巨獸龍

恐龍大比「拼」：

201

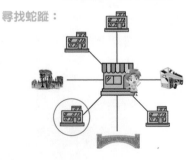

小學生必備的 100 個基礎關鍵知識

書　　　名： 小學生必備的 100 個基礎關鍵知識

系　　　列： 好學生自修系列

編　　　著： 馮光至、曾天虎、黃秉華、周倩儀、盧家彥、胡嘉儀、黃鳳韻

編　　　輯： 黃鳳韻、陳惠芬

圖　　　片： 星島圖片庫

版 面 設 計： 阿倫

出　　　版： 星島出版有限公司
　　　　　　 香港新界將軍澳工業邨駿昌街 7 號
　　　　　　 星島新聞集團大廈

營 運 總 監： 梁子文

出 版 經 理： 倪凱華

電　　　話： (852) 2798 2579

電　　　郵： publication@singtao.com

網　　　址： www.singtaobooks.com

Facebook： www.facebook.com/singtaobooks

發　　　行： 泛華發行代理有限公司

電　　　郵： gccd@singtaonewscorp.com

網　　　址： www.gccd.com.hk

Facebook： www.facebook.com/gccd.com.hk

版　　　次： 二零二二年一月初版

定　　　價： 港幣九十八元正

國 際 書 號： 978-962-348-502-9

承　　　印： 嘉昱有限公司

星島出版